Magie Intérieure!

volume 1

SAKI HIWATARI

Cette histoire
est une fiction.
Elle n'a aucun rapport
avec des personnes,
des organisations ni
des événements
réels.

Sommaire

Magie Intérieure !

- Cosmos in children -

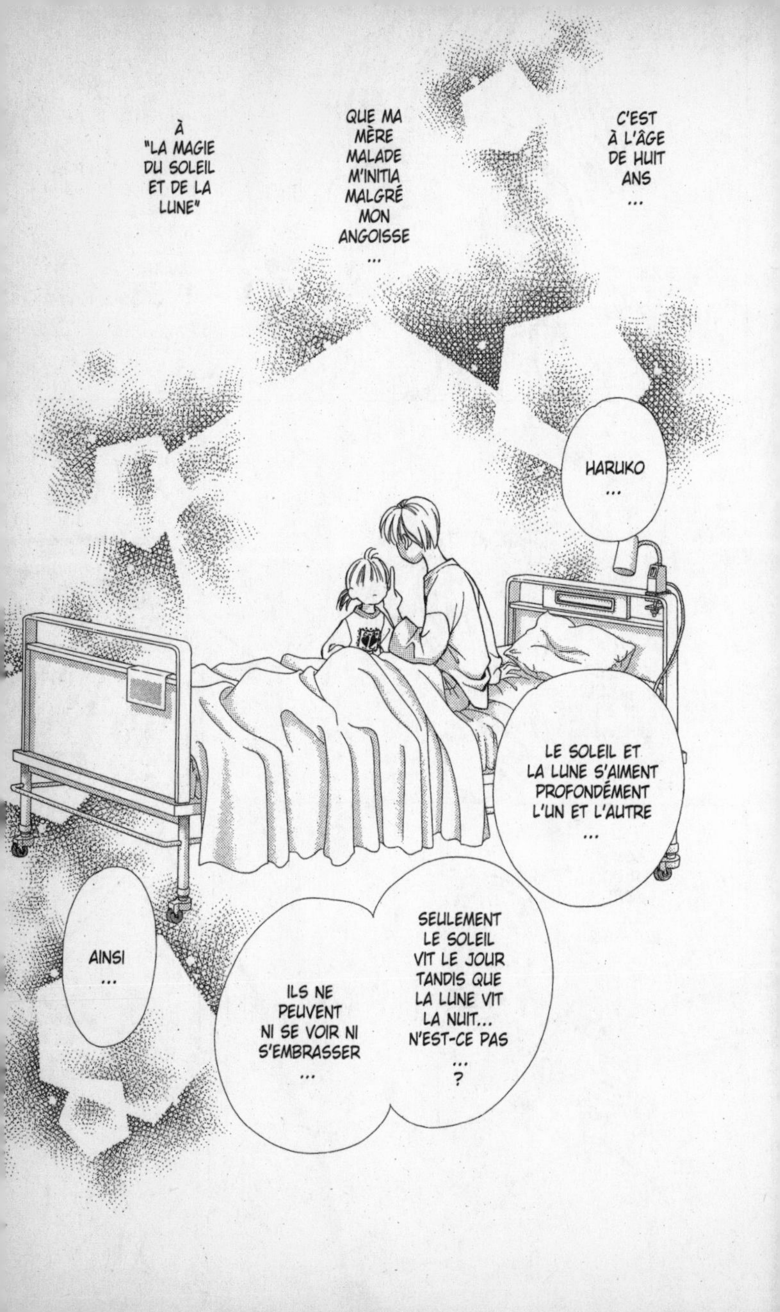
C'EST À L'ÂGE DE HUIT ANS ...
QUE MA MÈRE MALADE M'INITIA MALGRÉ MON ANGOISSE ...
À "LA MAGIE DU SOLEIL ET DE LA LUNE"
HARUKO ...
LE SOLEIL ET LA LUNE S'AIMENT PROFONDÉMENT L'UN ET L'AUTRE ...
SEULEMENT LE SOLEIL VIT LE JOUR TANDIS QUE LA LUNE VIT LA NUIT... N'EST-CE PAS ... ?
ILS NE PEUVENT NI SE VOIR NI S'EMBRASSER ...
AINSI ...

DONC ...
LES PERSONNES SÉPARÉES MALGRÉ LEUR AMOUR ET LEUR AFFECTION ...
COMME LES AMANTS OU CERTAINES FAMILLES ...
EH BIEN... LE SOLEIL ET LA LUNE SONT LÀ POUR LES AIDER ...
... MALGRÉ LA DISTANCE
... AFIN QU'ON SE SENTE PLUS PROCHE
MAMAN... MAINTENANT ...
VA DEMANDER AU SOLEIL ET À LA LUNE ...
... DE LA TRANSFOR-MER EN SOLEIL LE JOUR ET EN LUNE LA NUIT
... POUR TE PROTÉ-GER
VOICI ...
DE LA PART DE MAMAN ...
... SON DERNIER SORT ... PEUT-ÊTRE ...

N'OUBLIE PAS ... IL NE SE RÉALISERA
... QUE LORSQUE JE SERAI AU PARADIS
MENTEUSE !!
CE N'EST QU'UN MEN-SONGE ! !
JE PRÉFÈRE QUE TU RESTES À MES CÔTÉS PLUTÔT QUE TA MAGIE !!
TU N'ES PAS UNE SORCIÈRE ...
MAIS UNE SUPER SORCIÈRE, PAS VRAI ... !?!
TU POURRAIS TE SOIGNER ! ... POURQUOI TU NE L'UTILISES PAS POUR TE GUÉRIR ... ??
JE SUIS DÉSOLÉE, HARUKO ...
JE N'AI AUCUN POUVOIR SUR LES MALADIES
... MAIS NE T'INQUIÈTE PAS, JE RESTERAI TOUJOURS AUPRÈS DE TOI GRÂCE À CETTE MAGIE !
ET PUIS ...
... JE TE TRANSMET SILK, MON CHAT MESSAGER DES DIEUX !

DÉSORMAIS TON NOM SERA "CYNTHIA" ...
S'IL TE PLAÎT ... ACCEPTE MON NOM DE SORCIÈRE !
D'ACCORD ... ?
... OUI
JE SUIS SOULAGÉE
MAINTENANT, JE PEUX RETOURNER TRANQUILLEMENT À LA TERRE ET ...
... GAGNER L'ESPRIT ÉTERNEL ... !
C'EST AINSI ...
QUE LE POUVOIR MAGIQUE DU SOLEIL ET DE LA LUNE S'AMPLIFIE !

... HARUKO ...
MAMAN ...
... PARDON !
... PARDONNE-MOI, HARUKO ... !
JE TE JURE DE TE PROTÉGER TOUS LES JOURS ... !
... C'EST LA VÉRITÉ, LA PURE VÉRITÉ !!
APRÉS CELA ...
ELLE S'EST ENDORMIE POUR LE DERNIER SOMMEIL

miaou innnnn
ces souvenirs me font pleurer
cynthia était une sorcière extra-ordinaire !
TIENS ! SILK ...
J'AI FAIT DU THÉ AU LAIT
CE N'EST PAS LA PEINE DE PLEURER !
... ah !
merci ! j'en veux bien
snif
snif
mais ...
ffffttt
AH ! C'EST BON !
le temps passe vite, haruko ...
ta mère cynthia ... est morte ...
il y a cinq ans maintenant
tu es devenue collé-gienne ... (1)
ben ... bref ... !

(1) Voir en fin de volume.

depuis que tu as hérité de ce nom ...
il s'est passé déjà cinq ans
... enfin ... !
SOUPIR
... C'EST QUOI CE SOUPIR ... ?
ben... le peu de magie que tu as réussi à apprendre pendant ces cinq années ...
tu ne t'en sers qu'avec moi dans ton sommeil ... !
... n'est-ce pas ... ?
AH !!
lamen-table !?!
eeeeeeeeeh !
NON !! ... JE NE PEUX PAS LAISSER PASSER CE QUE TU VIENS DE DIRE ... !
QUANT À TOI ... TU AS GROSSI CES DERNIERS TEMPS !
REGARDE-TOI DANS LA GLACE ... !

houps houps !!
... TU M'ÉCOUTES !?
TU ES MON MESSAGER DES DIEUX ALORS GARDE TOUJOURS TA LIGNE !
ah ! c'est délicieux même si ce n'est qu'un rêve !
à part si tu t'éteins de mort naturel-le ...
quand le chat messager meurt, son maître doit mourir aussi, on dirait ... !
... ce ne serait pas drôle si tu étais renversée par une voiture durant une escapade !
ne t'inquiète pas ! OK !?
tu es protégée par le soleil et la lune ... alors ...
ça veut dire quoi !?
ça veut dire que ton messager des dieux est aussi protégé !
au fait haruko ...
si je suis aujourd'hui dans ton rêve, c'est parce que ...
... j'ai un message divin à te transmettre !!

UN MESSAGE DIVIN ... !?
QUOI ? ... C'EST QUOI ??
précisément !
"plusieurs messagers ...
vont te guider jusqu'à l'amoureux !"
.... C'EST VRAI ... !?
mes tarots l'indiquent !
en plus... cet amoureux sera un type comme le soleil !!
... mais ...
... il y aura beaucoup d'obstacles difficiles
... alors prépare-toi bien !
RRRRRR
... tiens! ... on t'appelle ...
à bientôt, haruko ... !

* *Niaaaou : c'est un messager des Dieux !*

** L.A. est l'abréviation commune pour parler de la ville de Los Angeles.

niaaaaouu
niaouu
D'ACCORD SILK ! ... OK !!
... OUI ! ... C'EST SILK QUI RÉCLAME DES CROQUETTES
EN PARLANT DE SILK ...
TU FAIS TOUJOURS DES RÊVES OÙ IL TE PARLE COMME LES HUMAINS ?
BEN OUI !
AH LÀ LÀ ... ! ... TA MAMAN ET TOI !
... DIS-MOI TON NOM DE SORCIÈRE, S'IL TE PLAÎT !
NOOOON !! ... C'EST IMPOSSIBLE !
MÊME SI TU ES MON PAPA, JE NE PEUX PAS FAIRE ...
... ÇA !!
... SI UN JOUR QUELQU'UN L'APPREND, JE SERAI ALORS OBLIGÉE DE LUI OBÉIR
... C'EST POUR CELA QUE J'AIMERAIS LE SAVOIR !
... AH NON ... !

BON BEN ... BON COURAGE À L'ÉCOLE !
OK ... !
OUI, À PLUS !
bip
VOUS VENEZ D'APPELER AU JAPON VOTRE SORCIÉRE DE FILLE, M. MORIMYA ? *
OUI, C'EST CELA ... C'EST MA SŒUR QUI S'OCCUPE D'ELLE
SORCIÈRE... ? QU'EST-CE QUE CELA VEUT DIRE... ?
...
OH NON ! ... ELLE FAIT PLUTÔT SEMBLANT DE L'ÊTRE ! ? ... C'EST BIEN CELA, M. MORIMIYA ?!
EN EFFET ! ... MA FILLE ÉTAIT TRÈS TIMIDE ET INTROVERTIE DANS SON ENFANCE
... MA FEMME LUI A INSUFFLÉ AVANT DE MOURRIR "LA MAGIE QUI DONNE DU COURAGE"
... DEPUIS CE JOUR, ELLE CONTINUE À FAIRE SEMBLANT D'ÊTRE UNE SORCIÈRE

** Ils se parlent en anglais.*

PAPA N'A PAS ENCORE COMPRIS ...
MAIS, MAMAN ET MOI ...
... NOUS SOMMES DE VÉRITABLES SORCIÈRES

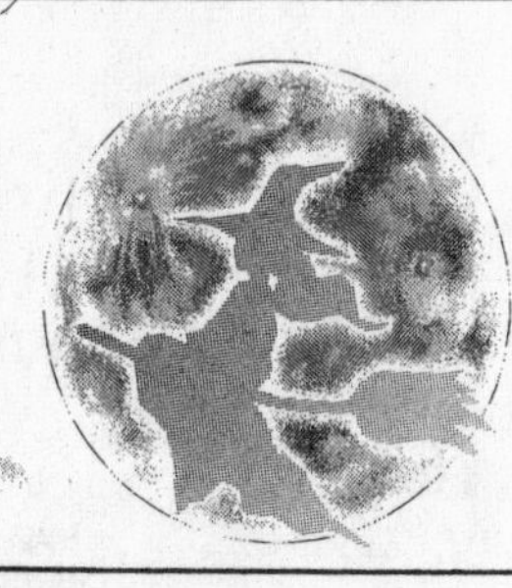
C'EST ÉVIDENT QUE ...
NOUS NE RESSEMBLONS PAS À CELLES QU'ON PEUT VOIR DANS LES CONTES OU LES FILMS
... NOUS NE VOLONS NI SUR DES BALAIS
... NI NE FABRIQUONS DE PHILTRES

BONJOUR HARUKO-CHAN ! ... TU ES TOUT ÉBOURIFFÉE
SEULEMENT, NOUS SAVONS FAIRE DES ENCHANTEMENTS ...
SELON MA MÈRE, LA VRAIE MAGIE ...
... N'EST PAS UN POUVOIR SURNATUREL QUI CHANGE DIRECTEMENT LE MONDE EXTÉRIEUR
... ELLE PROVOQUE PLUTÔT UN MIRACLE DANS LE CŒUR DE CELUI QUI PRATIQUE
NON, C'EST VRAI ?

COMME UNE RÉVOLUTION DANS SON MONDE INTÉRIEUR
... UN CHANGEMENT ÉMOTIONNEL QUI NAÎT AU FOND DU CŒUR
NIAOUUUUUU
LES ESSENCES SECRÈTES QUI PERMETTENT CETTE TRANS-FORMATION
FONT PARTIE DE LA MAGIE QUE MA MÈRE M'A TRANS-MISE

... PETITE, J'ÉTAIS TELLEMENT TIMIDE POUR TOUT ...
QUE MAMAN M'ENSORCELAIT TOUJOURS
N'AIE CRAINTE, TU PEUX Y ARRI-VER !
VAS-Y !!
UN BRIN DE MAGIE POUR QUE JE PUISSE PARLER À HAUTE VOIX
... UN AUTRE POUR ME LIER D'AMITIÉ AVEC UNE FILLE QUE J'AIMAIS BIEN

TU VOIS ! ... TU AS RÉUSSI !
... CE COURAGE, C'EST LA MAGIE QUI ME L'A APPORTÉ ...

LUI QUI M'ACCOMPAGNE DANS MON SOMMEIL
SILK, SOIS SAGE !
... PARFOIS ...
TOUT CELA EST UN PEU ÉTRANGE ...
À CE SOIR !
BONJOUR MAMAN !!
C'EST ENCORE UNE BELLE JOURNÉE, NON ?
AUJOURD'HUI AUSSI, JE ME DONNERAI À FOND !
À PLUS TARD ... !

BONJOUR, MLLE MORIMIYA !
AH... ! BONJOUR, MLLE TOYODA
DIS ! ... TU CONNAIS LA NOUVELLE ?
IL PARAÎT QU'AUJOURD'HUI POUR LES NOUVEAUX ÉLÈVES ...
S'ORGANISE UN CONCOURS SURPRISE !
GLOUPS
PARDON ??
C'EST QUOI ... UN EXAMEN ??
NON, PLUTÔT UNE JOUTE RÉCRÉATIVE À LAQUELLE TOUT LE MONDE EST CONVIÉ
... À MON AVIS, C'EST COMME UNE RÉUNION AMICALE
AH BON ! ... QUAND MÊME, CE COLLÈGE EST UN PEU BIZARRE
... L'AUTRE JOUR, ILS ONT ANNULÉ SOUDAINEMENT LES EXAMENS
TU TROUVES ? MOI, CETTE DÉCISION M'A SAUVÉ LA VIE

... UNE AUTRE FOIS, C'ÉTAIENT LES COURS DE L'APRÈS-MIDI
... ET ON A ÉTÉ OBLIGÉS DE S'OCCUPER DES PLANTES DE L'ÉTABLISSEMENT ...

contente !!
ÇA M'A PLUTÔT BIEN AMUSÉE !

CHIKA TOYODA EST UNE AMIE DE MA CLASSE AVEC QUI J'AI COMMENCÉ À DISCUTER PARCE QUE NOS TABLES ÉTAIENT PROCHES (3)
... C'EST LA PLUS PETITE D'ENTRE NOUS, SON TEINT EST PÂLE ET ELLE EST TRÈS MIGNONNE
... JE LA TROUVE CHARMANTE QUAND ELLE SOURIT NAÏVEMENT, MAIS ...

... ON NE S'EST PAS ASSEZ LIÉS D'AMITIÉ POUR SE SENTIR DE BONNES COPINES
NOUS NOUS SOURIONS ...

... EN CONSERVANT UNE CERTAINE DISTANCE

ÇA NE FAIT QU'UN MOIS ET DEMI QUE JE FRÉQUENTE CE COLLÈGE PRÈS DE CHEZ MA TANTE, DEPUIS QUE MON PÈRE A PRIS SON POSTE À L.A.

... ET EN CE MOMENT ...

... J'ESSAYE DE ME FAIRE DES AMIS

DING DONG DING DONG
CHERS NOUVEAUX ÉLÈVES ! ... JE DÉCLARE L'OUVERTURE DU "CONCOURS LUCK WINNER" AUQUEL CHACUN D'ENTRE VOUS DOIT PARTICIPER !!
RÉUNISSEZ-VOUS TOUT DE SUITE DANS LA COUR !!
AAAAH ... OH LÀ LÀ LÀ LÀ ...
BLA BLA BLA BLA BLA BLA
BLA BLA
ON CHOISIRA SELON LES COMPÉTITIONS ENTRE LES CLASSES UN VAINQUEUR POUR CHACUNE DE CES CATÉGORIES ... INTELLIGENCE ... FORCE PHYSIQUE ... ET CHANCE !
... APRÈS AVOIR CHOISI VOS REPRÉSENTANTS DE CLASSE, ON PASSERA À LA PROCHAINE ÉTAPE !
QU'EST-CE QUE TU PRÉFÈRES, MLLE MORI-MIYA... ?
VOY-ONS ...
... JE NE SUIS PAS DOUÉE POUR L'INTELLIGENCE, NI LA FORCE PHYSIQUE

IL Y AURA UN JEU DE DEVINETTES POUR L'INTELLIGENCE, UNE PARTIE DE BASKET-BALL POUR LA FORCE PHYSIQUE, ET POUR LA CHANCE …
ET UN TOURNOI DE JANKEN-PON, PARAÎT-IL ? (4)*
… MMM … ?
C'EST VRAI !? … JE PEUX LE FAIRE ! … ÇA, JE PEUX !!
ALORS, MOI AUSSI, JE TE SUIS !
SANS ME VANTER …
JE SUIS FORTE POUR LE JANKEN-PON !
ALLEZ !
PON !!
WOW ♡
J'AI GAGNÉ … !
wouahhhhhh
SUPER !! MORI-MIYA
… TU ES NOTRE REPRÉSENTANTE !
… AH OUI… HI HI HI… ?
EN FAIT, JE SUIS ASSEZ FORTE EN JANKEN

J'AI VU ÇA ! ... TU ÉTAIS GÉNIALE !!
MAIS NON ?! ... PAS DU TOUT !
... ÇA NE CONCERNE EN RIEN L'INTELLIGENCE OU LA FORCE PHYSIQUE
TU PARLES ...
... C'EST POUR ÇA QUE C'EST EXTRAORDINAIRE !!
... AVEC DES EFFORTS, ON POURRA TOUJOURS GAGNER L'INTELLIGENCE ET LA FORCE PHYSIQUE
... MAIS PAS LA CHANCE, NON ?
JE SUIS VERTE ! ... MOI, J'AI PERDU TOUT DE SUITE !
BON COURAGE POUR LA VICTOIRE !!
ET PUIS, POUR LA CLASSE DONT LE CANDIDAT EST VAINQUEUR ...
... 150 TICKETS DE CANTINE SONT OFFERTS EN CADEAU !!
WOW! C'EST COOL !!?

MORIMIYA ... VAS-YYYYY !!
BON COURAGE, MORIMIYAAAAA !!
... OH LÀ LÀ ...?
OUIIIN MAMAN !! ... AIDE-MOI !
GAGNÉ ! ... GAGNÉ ! ... GAGNÉ !
JANKEN ... !
PON !!
... AH ... !
ÇA ME FAIT BIZARRE D'ÊTRE LE CENTRE D'INTÉRÊT DE MA CLASSE
... SI JE NE GAGNE PAS, QU'EST-CE QUE JE VAIS FAIRE ... ??
BIEN JOUÉ !!
OUAIIIIS ! ELLE A GAGNÉ !!
TU ES SUPER MORIMIYA !
GÉNIAL ... !

POUR LA CATÉGORIE CHANCE DU CONCOURS LUCK WINNER ...
... LA GAGNANTE EST Mlle MORIMIYA HARUKO DE LA CLASSE 3 !
... LE VAINQUEUR DE L'ANNÉE DERNIÈRE ...
OUF, ÇA ME SOULAGE !
... M. KINOSAKI KÔ VA LUI REMETTRE LE TROPHÉE !
... WOW ! ... UN TROPHÉE ... C'EST LA PREMIÈRE FOIS !
...

clap clap
clap
clap
clap
clap
clap
clap
BEN... IL AURAIT PU ME FÉLICITER, NON ... ?!
HEU ... DÉSOLÉ, Mlle HARUKO MORIMIYA
... C'EST UN GRAND TIMIDE COMME TU VOIS !
... PAR-DON ... ?
WOW ! ♡
C'EST RENON TAKIOKA SENPAI LE PETIT-FILS DE L'ADMINISTRATEUR GÉNÉRAL !
... IL A LA COTE EN 2e ANNÉE !! (5)
VOILÀ LES TICKETS CADEAUX !
... ET PUIS ...

... LE BISOU DE LA VICTOIRE ♡
smack
... EUH ... ??
C'EST PAS VRAIIIIIIIII !!
QUELLE CHANCE, MLLE MORIMIYA !!
... TOUTES MES FÉLICITATIONS, TU ES VRAIMENT VERNIE !
... OU... OUAIS ...?
C'EST SURPRENANT ...
MAIS JE SUIS CONTENTE !

QUAND JE SUIS RETOURNÉE EN CLASSE, BEAUCOUP DE GENS M'ONT PARLÉ ...
... MÊME CEUX AVEC QUI JE N'AVAIS JAMAIS ÉCHANGÉ TROIS MOTS
ÇA VA ? MORIMIYA !
... J'AI PARTAGÉ LES TICKETS
MERCI, MLLE MORIMYA !
MOI ...
JE ME SENTAIS TELLEMENT BIEN QUE ...
... JE MARCHAIS SUR LES NUAGES !
... JUSQU'AU SOIR OÙ J'AI TROUVÉ CETTE LETTRE DANS LE TROPHÉE !
... TIENS ... ? ÇA S'OUVRE ... ?

... MM ... ?
UNE CARTE ... ? NON, C'EST UNE LETTRE ... ?
Toutes mes félicitations !!
toi qui es veinard*,
je te donne le titre de
"hunter", et je vais t'offrir
un jeu préparé
spécialement pour toi
... QUOI ... ?

La lettre a été écrite avant de connaître le vainqueur, c'est pour cela qu'il n'y a pas d'accord féminin.

"HUNTER VEUT DIRE CHASSEUR" ...
"ALORS" ... "TOI AUSSI, TU DEVRAS CHASSER QUELQUE CHOSE" ... ?
... "LA SORCIÈRE" ... !!
GLOUPS

... car si on ne l'attrape pas, elle renforcera ses pouvoirs magiques afin de faire le mal ! ... et comme tu as de la chance, toi seul seras capable de la rattraper ...alors, vas-y !! ... trouve-la vite, et condamnons-la au bûcher !!*

... EN FIN DE COMPTE, C'EST UN PEU UNE CHASSE AUX SORCIÈRES
... PAS UN SIMPLE CACHE-CACHE

* Idem

... "DONT TU ES LE CHAT" !
"PLUTÔT UN" ... "CACHE-CACHE ENTRE ELLE ET TOI" !
"CETTE SORCIÈRE EST UNE PERSONNE PARMI LES CAMARADES DE TON ANNÉE"
... "DÈS DEMAIN, CHERCHE-LA" ! ... "IL EN VA DE TA SÉCURITÉ" !!
... "ATTRAPE-LA" !!
... "CAR SINON, TU VAS AVOIR DES ENNUIS" !!

... QUOI ... ?!?
QU'EST-CE QUE C'EST QUE ÇA ... ?
UNE HUMILIATION ... ?
MAIS DE QUI ... ??
... POURQUOI ... ?
... "CHASSE AUX SORCIÈRES" ...
ÇA PARLE DE MOI ... ??

MAIS ...
C'EST IMPOSSIBLE, J'EN AI PARLÉ À PERSONNE !
DIS-MOI, SILK ...
niaou

... PERSONNE NE SAVAIT QUI SERAIT VAINQUEUR
... JE NE SUIS PAS FORCÉ-MENT LA CIBLE
... NON ! SÛRE-MENT PAS ...

C'EST QU'UNE VEXATION GRATUITE !
... JE NE VAIS PAS ME LAISSER INFLUENÇER PAR ÇA !
... C'EST IMPOSSIBLE ... ?

BEN ... QU'EST-CE QUE TU EN PENSES, MLLE TOYOTA ... ?
... HEU ...
... IL NE FAUT PAS QUE TU T'EMBÊTES AVEC ÇA ...
JE CROIS ... !
... AH BON ... !
C'EST SÛREMENT UNE PLAI-SANTERIE !
... IL VAUT MIEUX LE VOIR COMME ÇA !!
... SI TU NE RÉAGIS PAS, ÇA EN RESTERA LÀ !? ... ET CE SERA FINI !
... OUI ...
C'EST VRAI ... !

DIS ! S'IL TE PLAÎT ...
APPELLE-MOI CHIKA !
À CONDITION QUE ...
TU M'APPELLES HARUKO ... !
OUAIS, HARUKO !
OK, CHIKA-CHAN !
SUPEEEEEER !!
YOUPI !
YOUPI !
TU SAIS POUR CETTE HISTOIRE, SURTOUT NE T'INQUIÈTE PAS ...
HARUKO-CHAN !
... OUI ... OUI ...
C'EST ÇA !
D'ACCORD ... MAIS ÇA ME PREND QUAND MÊME LA TÊTE !
... AUTANT CONJURER TOUT CELA POUR ÉCARTER LE MALHEUR

* C'est une incantation qui n'a pas de sens en japonais.

VOILÀ, ON M'A DONNÉ ÇA POUR TOI !
PARDON ...?
DITES-MOI ...
ÇA VIENT DE QUI ?
JE NE SAIS PAS, JE NE LE CONNAIS PAS
... ...?
TIENS ...!
... C'EST PEUT-ÊTRE UN MOT D'AMOUR !?
TCHAAAC
elle s'y attend !
FAUT QUE JE ME CALME ...!
SCHHHHT...
Trouve vite la "sorcière" et attrape-la !! ... car plus le temps passe plus tu en subiras les conséquences !

Trouve vite la "sorcière" et attrape-la !! ... car plus le temps passe plus tu en subiras les conséquences !
MAIS ...
QU'EST-CE QUE ÇA VEUT DIRE ?? ... POURQUOI ?
ÇA VIENT DE QUI ... ?
... PEUT-ÊTRE DE LUI ... !

... CELUI QUI M'A DONNÉ LE TROPHÉE
... JE VAIS LUI DEMANDER !
EXCUSE-MOI ... ?
IL EST LOUCHE !
... MOI ... ?
... QUOI ?
Intervalle 1/4
-1-
BONJOUR, MIAOU !
SALUER !
JE M'APPELLE POU LE REMPLAÇANT D'HIWATARI, MIAOU !
... JE SUIS VENU SINCÈREMENT VOUS REMERCIER D'AVOIR ACHETÉ SON MANGA ! ... MIAOUUU
... À SUIVRE POUR D'AUTRES ... MIAOUUU !

DITES DONC ... REGARDEZ ÇA !
... C'EST VOUS QUI L'AVEZ ÉCRIT, ET MIS DANS LE TROPHÉE ! ... NON !?
... BEN ... ?
C'EST PAS MOI ! ... D'AILLEURS ...
JE NE SUIS AU COURANT DE RIEN !
TU AS FAIT QUELQUE CHOSE QUI POURRAIT FAIRE ENVIE ?
BEN ... SEULEMENT LA VICTOIRE DE LUCK WINNER ... !

DANS CE CAS, TOUS LE MONDE PEUT ÊTRE COUPABLE !
... BEH ... !!
... C'EST IMPOSSIBLE !
IL RESTE À NE PAS TE LAISSER MANŒUVRER !
... TU PEUX ÊTRE INDIFFÉRENTE !?
... SINON, TU SERA ABUSÉE !
... ...
JE M'EXCUSE !
... ET MERCI ENCORE !!
SALUER

... ENCORE UNE LETTRE !!

SHRRR

Je te donne une piste...
la "sorcière" est une fille
qui n'a pas de cheveux longs !
... Contre cette information,
elle a obtenu plus de
pouvoirs magiques,
et pris tes chaussures !
... Alors attrape-la vite
avant que la situation
n'empire !!

... POURQUOI ... ?
... MAIS POURQUOI ?!?

SILK
...
ronron

niao
uuu

JE NE SUIS PAS BIEN DU TOUT ...!
niaouuu
S'IL TE PLAIT, VIENS ME VOIR CE SOIR DANS MON RÊVE ...

ben ... oui !
je t'avais déjà avertie ...
... qu'il y aurait des obstacles difficiles !!
?
... C'ÉTAIT QUOI, DÉJÀ ... ?
nyoooooon!!
aurais-tu oublié mon message divin !?!
chrrrrrr
... c'est impar-don-naaa-ble !!
... je vais me fâche-eer !!
mes messages évoquent toujours la vérité !
... tu le sais !!

je t'ai dit que "plusieurs messagers vont te guider jusqu'à l'amoureux" !!
... AH ... !!
... cet amoureux sera un type représentant le soleil !
... mais prépare-toi bien à des obstacles difficiles !!
guiiaoouuuu
je te l'ai déjà diiiiit !!
OUI... OUI... OUI !! ... TU AS RAISON, TU AS TOUJOURS RAISON !!
tu t'es laissé faire par ces petits malheurs en oubliant ma chère prédiction !
... c'est ta mauvaise habitude !! ... tu es comme ça depuis toujours !

ALORS, ÇA VEUT DIRE QUE …
… LES GENS QUI M'ONT DONNÉ LES LETTRES SONT …
DIFFÉRENTS MESSAGERS ! … C'EST CELA ?
… mais oui … !
DANS CE CAS …
SI JE RÉSISTE À TOUS CES OBSTACLES … JE POURRAI …
… RENCONTRER L'AMOUREUX QUI RESSEMBLE AU SOLEIL !?!
bien sûr !!
mais oui !!

haruko …
quelle pleurnicharde cette haruko !
… bon courage !
… je t'accompagne !
et puis, un homme t'attend … !
… un garçon !
… pêche-le !
… tu vas le pêcher, haruko !!
… vis "un bonheur peut parfois se cacher derrière un malheur" !!

KO est une syllabe du prénom de la sorcière !
... contre cette information, elle a encore augmenté son pouvoir ! ... attends-toi à un autre malheur si tu ne te dépêches pas ...!!

NON ! ... NE LE PRENDS PAS AU SÉRIEUX !
... SI JE ME LAISSE FAIRE, C'EST LA FIN !!

SALUT, HARUKO-CHAN !
... AH ! ... SALUT, CHIKA-CHAN !
JE SUIS CONTENTE QUE TU AILLES MIEUX !
... ÇA VA, MAINTENANT ?
... EUH ... EN FAIT ...
... C'EST PAS VRAI ! ... J'ARRIVE PAS À LE CROIRE !
... FAIS ATTENTION À TOI, HARUKO-CHAN !!
OU... OUI... !
LA GÉO EST NOTRE PREMIER COURS, ON DOIT CHANGER DE SALLE !
AH OUI ! ... C'EST VRAI ... !
EUH ...
MLLE MORIMYA !
... OUI ... ?

... MLLE TOYOTA ! ... TU NE DOIS PAS Y ALLER ?
... ALORS QUE FAIT-TU !
OU... OUI ! D'AC-CORD ... !
... JE TE LAISSE, HARUKO-CHAN
... OUI ... !
QU'EST-CE QUI SE PASSE ?
... EUUUUH ...
À VRAI DIRE ...
... C'EST ... TELLE-MENT ...
... GÊNANT ... DE TE L'APPREN-DRE ... MAIS ...
TON COURS DE GÉO ...
BEN ... TU NE POURRAS PAS LE SUIVRE! ... À CAUSE DE CERTAINES RAISONS ... !

... COMMENT ... ?
... JE N'AI PAS BIEN COMPRIS ... ?
JUSTE ...
... ATTRAPE VITE L'ESPÈCE DE "SORCIÈRE" ... !
... QUOI ... !?
ET ...
... ET PUIS ÇA !
JE DOIS ... TE LA DONNER ... !
Schrrrrr

Pour ton information,
la "sorcière" a un chat ! ...
et comme on te l'a suggéré,
elle augmente ainsi ces
forces magiques !!
DING
DONG

POURQUOI ... ?
J'EN POSSÈDE TOUTES LES CONDITIONS
... QU'EST-CE QUE ÇA VEUT DIRE ... ?
... ON VOUDRAIT ME METTRE SUR LA SELLETTE ?
... POURQUOI TOUJOURS À MOI ?
... TOUJOURS SUBIR CE GENRE DE CHOSE ?
"SORCIÈRE" ...

... POUR QUELLE RAISON !?
HARUKO-CHAN !!
... POURQUOI T'ES PAS VENUE EN CLASSE ?

AH! ... CHIKA-CHAN ...

C'EST PAS GRAVE, MAIS ...
REGAR-DE !!
... C'EST UN PETIT MOT AYANT CIRCULÉ PENDANT LE COURS

... tenons Haruko Morimiya à l'écart...
!!
HÉ ... !!
... HARUKO-CHAN !!

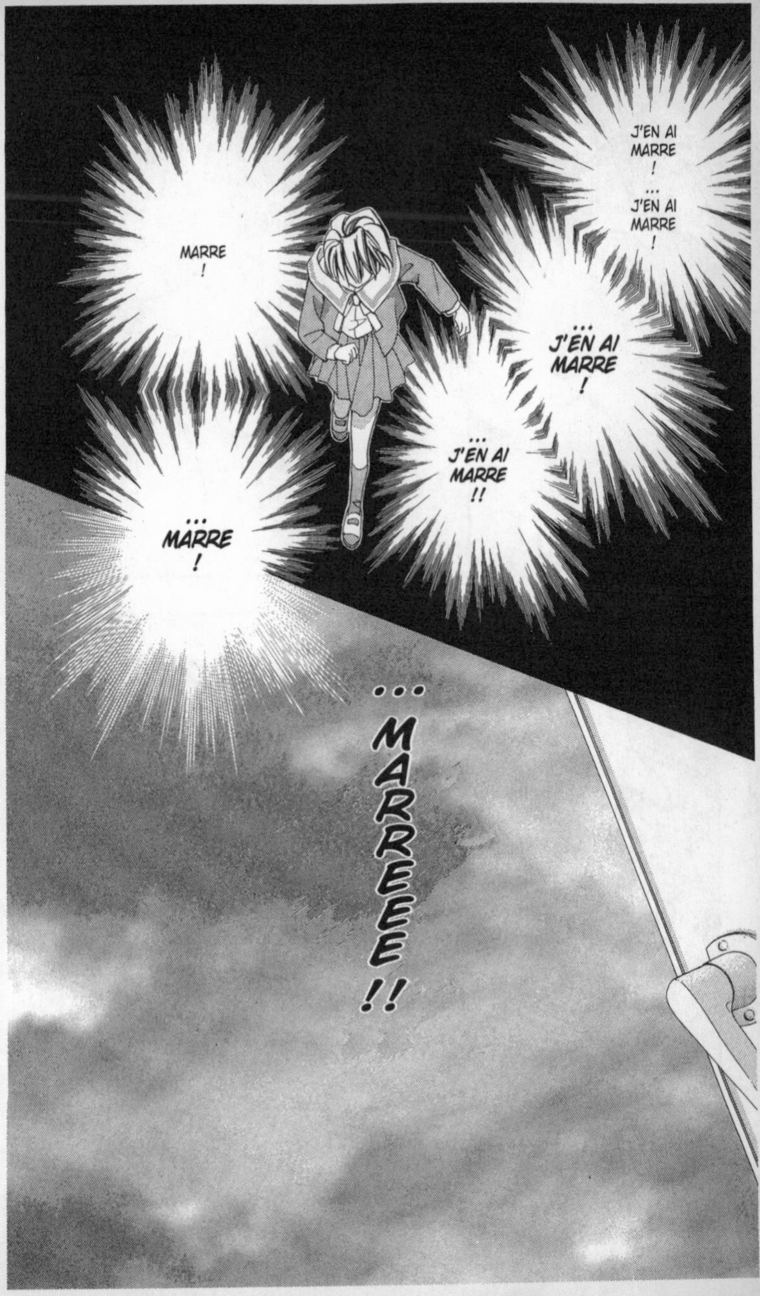

J'EN AI MARRE ! ... J'EN AI MARRE !

... J'EN AI MARRE !

MARRE !

... J'EN AI MARRE !!

... MARRE !

... MARREEE !!

... MAMAN ...!!
J'EN PEUX PLUS ...!!

CETTE FILLE ...
... SI JE NE ME TROMPE PAS C'EST LA GAGNANTE DU LUCK WINNER DE CETTE ANNÉE ?!
HUMMM ... ELLE PLEURE
... JE ME DEMANDE CE QUI S'EST PASSÉ ... ?
... HUU-MM ...
... ÇA M'IN-QUIÈTE !
ATTENDS TAKIOKA !

... OUI ??
... QUOI ?
AAAH ...
BIZARREMENT ...
TU VOUDRAIS ME DIRE DE NE PAS M'EN OCCUPER ?
... C'EST IMPOSSIBLE, TU CONNAIS MON CARACTÈRE ! ... NON ? ... KINOSAKIIII ?
... J'AI UNE FILLE QUI PLEURE DEVANT MOI, C'EST ... UN PEU ...
COMME SI JE RÉSISTAIS À UNE DÉMANGEAISON !
... POURTANT C'EST MIGNON, CE QU'ELLE A DIT !!
"J'EN PEUX PLUS, MAMAN" !!
C'EST MIMI ... HI HI... !
ALLEZ, J'Y VAIS !
PFFF ...
Intervalle 1/4
-2-
je suis un chat de race américaine à poil ras et marron. j'habite chez Hiwatari ... miaaou !
avec moi ...
il y a aussi tamie, une chatte au pelage tricolore et rayé ... miaaou !
elle est grosse... miaaou ! sa tête est très petite et son corps infiniment grand... miaaou !
... malgré sa taille, elle est hyper timide... miaaou !
...et craintive... miaaou !

TU ES CLASSÉE À L'UNE DES TROIS PREMIÈRES PLACES ...
DES MEILLEURES CHANCEUSES PARMI LES NOUVEAUX ÉLÈVES ...!
ALORS ... POURQUOI TU PLEURES ?
!
SOURIRE
TA ...
... TAKIOKA-SENPAI !!
JE NE SUIS PAS DU TOUT CHANCEUSE !
... DEPUIS QUE J'AI GAGNÉ CE TROPHÉE, TOUT EST ABSURDE !

... EUH ...
OUUUUI!!!NNNN

ATTENDS UN PEU... LE TROPHÉE ...?
IL NE S'AGIT PAS QUE DU TROPHÉE ...!
... VOUS ME L'AVEZ REMIS !!

C'EST CETTE LETTRE QU'IL Y AVAIT DANS LE TROPHÉE ... HEIN ...?

... JE T'AVAIS CONSEILLÉ DE L'IGNORER !
... HEIN ... ?
ÇA NE SERT À RIEN, ÇA N'A AUCUN EFFET !!
SI TU RÉAGIS COMME ÇA, IL S'EN AMUSERA DE PLUS EN PLUS ! ... NON !?
ALORS, VOUS ME CONSEILLEZ AUSSI D'IGNORER MES PROFESSEURS ... !?

CE MATIN, MON PROFESSEUR M'A INTERDIT D'ASSISTER À SON COURS SANS UNE EXPLICATION !
... ET M'A DIT DE VITE ATTRAPER CETTE "SORCIÈRE" ...!
QU'EST-CE QUE TU VEUX DIRE PAR LÀ ...?

TOI, TU DOIS SAVOIR QUELQUE CHOSE ...
KINOSAKI ...!
... LA SORCIÈRE ...?
JE NE TE SUIS PAS BIEN ...??

ÇA DOIT ÊTRE UN BON CALCULATEUR ...
AU MOINS, ÇA C'EST CLAIR ! ... NON ?
... JE PENSE QU'ON PEUT SUIVRE CETTE IDÉE
... PAR EXEMPLE ... ÇA POURRAIT ÊTRE TAKIOKA !
... POURQUOI MOI ... !?
BEN... TU ES LE PETIT-FILS DE L'ADMINISTRATEUR GÉNÉRAL ! ET PUIS ...
... TU AS AUSSI DE L'INFLUENCE SUR LES PROFS, NON !?
... OU ALORS DES FILLES DE TON ENTOURAGE ...
POURQUOI DONC ?!
TU LUI AS FAIT LA BISE DEVANT TOUT LE MONDE
... ÇA A PEUT-ÊTRE PROVOQUÉ DE LA JALOUSIE !
AH NON ... !
... ELLES NE FERAIENT PAS UNE CHOSE PAREILLE !!

... ET SI C'ÉTAIT VOUS ?
... QUOI ... ?
... EST-CE QUE VOUS POUVEZ PROUVER VOTRE INNOCENCE ?!?

TU ME SOUPÇONNES ENCORE... !?
ÇA TE SOULAGERAIT DE SAVOIR QUE JE SUIS COUPABLE ... !?!
... C'EST SI DOULOUREUX ... À CE POINT, HEIN... ?

DOULOUREUX ... !
... BIEN SÛR QUE C'EST DOULOUREUX !!
D'ACCORD ...
DANS CE CAS ...
... JE VEUX BIEN T'AIDER !

... QUOI ... ?
ATTENDS UN PEU ...
JE NE COMPRENDS RIEN !
... SI JE NE ME TROMPE PAS, CET APRÈS-MIDI IL Y A UN TRUC POUR LES NOUVEAUX ...
UNE RÉUNION POUR PRÉSENTER UN TRUC EN DEHORS DES COURS
... EUUUH !

BEN... OUI... JE CROIS ...
GARDE COURAGE JUSQU'À CETTE RÉUNION !
HÉ !! ... TU T'EN VAS ?
BON ... TANT PIS !
ALORS, TU ES ... VICTIME D'IJIME ? (6)

ON PEUT LE VOIR COMME ÇA !?
... OUPS ...
AH !
BEN... TOUT À L'HEURE TU AS DIT QUE MÊME LES PROFS Y PARTICIPAIENT ?
OUI ...
... JE NE SAIS PAS COMMENT LE PRENDRE
... ET JE N'Y COMPRENDS PLUS RIEN !
... D'AC-CORD ...
JE VOIS ... !
QUAND MÊME ... JE ME DEMANDE
... CE QUE MIJOTE KINOSAKI ... ?
MMM ...
!!
NON, CE N'EST PAS CE QUE TU IMA-GINES ... !
JE SUIS BIEN CERTAIN QUE CE N'EST PAS LUI ... PUISQUE... MAIS OUI... !

LES NOUVEAUX ÉLÈVES SONT PRIÉS DE SE RENDRE AU GYMNASE, S'IL VOUS PLAÎT
TIENS ! ... C'EST TOI ! ... ÇA VA HARUKO-CHAN ?
CHIKA-CHAN ...
BLA
BLA
BLA
OUI ...
JE SUIS DÉSOLÉE POUR TOUT À L'HEURE
C'EST PAS GRAVE !
... JE TE JURE QUE JE NE TE LAISSERAI PAS À L'ÉCART !
TAP
OUI ... ?
C'EST GENTIL ... !
EXCUSE-MOI ... TU ES MORIMIYA ?

... HEIN !
... PARDON ?
OUI ... ! C'EST MOI ...
GLOUPS
TU ES MORIMIYA ?
TIENS ! ... ON M'A DIS DE TE LA DONNER
... QUOI ! ...
DAF !!
NON !!
ENCORE ... !?
ELLE NE L'ACCEPTE PAS ...
RENVOIE-LA À L'EXPÉDITEUR ! ... OK

BEN ... OUI MAIS ... JE NE LE CONNAIS PAS ... ?
FERME-LA !!
C'EST ...
UN REFUS DE RÉCEPTION !
OK !?!
QU'EST-CE QUE JE PEUX FAIRE ... ?
... AH ... !
TCHAC

ASSEYEZ-VOUS, LES NOUVEAUX !
HA... HARUKO-CHAN !
... QUI C'EST ?
... QU'EST-CE QUI S'EST PASSÉ AVEC LUI ?
NOUS ALLONS COMMENCER ...
BEH ... OU ... OUAIS ... NON ... EUH ...
... EN FAIT ...
KINOSAKI !
... QU'EST-CE QUE TU MIJOTES ??
... ÉCOUTEZ BIEN LE REPRÉSENTANT DE CHAQUE ACTIVITÉ ET ENSUITE ...
VOUS CHOISIREZ CELLE QUI VOUS CONVIENT LE MIEUX ! ... MERCI ... !
... COMPTE SUR MOI !

ENSUITE ...
TCHAC
... KINOSAKI !!
TAP
TAP
TAP
... AH ... ?
... OH !
... ATTENDS !?
TCHOC

ET BIEN ...
AVANT TOUTE CHOSE, J'AI UNE ANNONCE À FAIRE !
... LA GAGNANTE DU LUCK WINNER, CATÉGORIE CHANCE ...
SUBIT DES HUMILIATIONS ACHARNÉES ET ANONYMES ... !
BLA BLA
QUI PLUS EST ...

BLA BLABLA
BLA BLA BLA
... CES VEXATIONS SOURNOISES D'IJIME ...
FIGUREZ-VOUS QU'ELLES SONT ENTRETENUES PAR LE COUPABLE ...
... QUI VA JUSQU'À IMPLIQUER LES PROFESSEURS !
OH, LÀ LÀ ...
BLA BLA BLA
SANS BLAGUE !
BLA BLA
ET ...
TAKIOKA ...
TU JURES QUE CE N'EST PAS TOI ?!
KOUAAAH !??
BIEN SÛR QUE NON ! ... JURÉ CRACHÉ !!

BIEN … POUR L'INSTANT, ON NE CONNAÎT PAS LE COUPABLE
… MAIS J'AIMERAIS INSISTER POUR QUE CE SOIT BIEN CLAIR …
… SI À L'AVENIR QUELQUE CHOSE DEVAIT LUI ARRIVER …
… JE NE LE PARDONNERAIS JAMAIS !

JE PRENDS PERSONNEL-LEMENT EN CHARGE CETTE HISTOIRE !
... NE L'OUBLIEZ PAS !!
TOI !
... ARRÊTE IMMÉDIA-TEMENT !!

... CE SERA TOUT !
VOILÀ, J'AI FINI ...
MERCI !
DONG
WA ...
WAOUUUH
SUPER !
QUELLE PERFORMANCE ... !
ALLEZ ...!
LA CLASSE !!
FFFUIIIIIIT

... QUOI ... ??
QU'EST-CE QUI S'EST PASSÉ ...?

TROP CLAS-SE !!
DIS, MLLE MORIMIYA ! ... C'EST TON COPAIN !??
... C'EST BIEN ÇA !?
... IL EST EN 2e ANNÉE ! ... NON ?
MAIS ... LUI ...
QUE SAIT-IL ...
... À QUOI IL JOUE !??

AAAAAAH
SUPER !!
CALMEZ-VOUS ET... ASSEYEZ-VOUS, TOUS !!
TCHAC
DING
DING DONG
DONG
HÉ !
...HÉ !
...HÉ !
...HÉ !!
TOI !
TU SORS AVEC LUI !
... MORI-MIYA ?
PARDON ...?
C'EST TON COPAIN ?? ... C'EST VRAI

VRAIMENT ? ... HARUKO-CHAN ?
... NON ... !
... NON, C'EST PAS CE QUE TU IMAGINES ... !
DONC ...
... JE PEUX TENTER LE COUP ! ?
... OK !?!
HÉ ... !
AT-TENDS !!
GLOUPS
... ÇA MARCHE PAS COMME ÇA ... !
TU T'ES VUE JUSQU'À TOUT À L'HEURE ...
TU IGNORAIS COMPLÈTEMENT HARUKO-CHAN ! ... C'EST PAS NORMAL !!
EXCUSE-MOI !!
... J'Y AI PAS TROP RÉFLÉCHI !
... ON SUIVAIT JUSTE LES INSTRUCTIONS DU PETIT MOT !

C'EST TROP NUL !! ... JE SUIS 100 % D'ACCORD AVEC CE SENPAI !!
L'IJIME
DONC ...
MAINTENANT ON EST AMIES ... D'ACCORD !?!
ON S'EN VA, HARUKO-CHAN !
OK... ?
OK... ?
OK ... ÇA SE LIT BIEN HARUKO, TON PRÉNOM ... ?
... JE CROYAIS QUE C'ÉTAIT TENKO (7) !
TENKO ÇA SONNE BIEN, NON !
Intervalle 1/4
-3-
si je vous expliquais combien elle était craintive, je pourrais dire qu'à l'âge de 8 ans elle ne faisait confiance qu'à 19% des humains (calculé bien sûr, sur la base de notre société)... miaou
incroyable ! ... miaou
donc... quand quelqu'un s'approche de trop près ...
... elle se sauve !
minooooonn
SCHRAC SCHRAC SCHRAC
à tout les coups ... elle se sauve !
Baboum Baboum Baboum

... MOI, JE PRÉFÈRE T'APPELER TENKO !
... MON NOM C'EST AKANE KIRISHIMA ! ... APPELLE-MOI, AKANE ! (8)
ET TOI, T'ES QUI ?!
VOYONS ...
CHIKA TOYODA !!
MAIS ... QU'EST-CE QUE TU ES TIMIDE, TENKO !
... TU FAIS TA MODESTE ?
PARDON ... !?
NON ... SEULEMENT TU M'ASPHYXIES !
... HARUKO !

JE PEUX TE PARLER ...
KINOSAKI-SANPAI !! ... MOI ... MOI, JE SUIS AKANE KIRISHIMA ! ...A.KA.NE !!
WAOUH !!
CLASSE ... !
TENKO !
NON, HA... HARUKO !
... MY BEST FRIEND !!

DÉSOLÉ, MAIS ...
JE VOUDRAIS LUI PARLER EN TÊTE-À-TÊTE !
... TU VIENS !
TROP COOL ... !!
J'AI ENVIE !
J'EN AI ENVIE MOI AUSSI !
IL ...
IL ...
... VIENT DE M'APPELER
... HARUKO ... !

QU'EST-CE QU'IL Y A ...?
EST-CE QUE ...
... TU ES AMOUREUSE
... DE QUELQU'UN ...?
GLOUPS
POUR ...
... POURQUOI ÇA ?
BEN ... VU LES CIRCONS-TANCES, TOI ET MOI ...

ON POURRAIT FAIRE SEMBLANT DE SORTIR ENSEMBLE ...
ÇA NOUS ÉVITERAIT D'ÊTRE EMBARRASSÉS ... !
... D'ACCORD ? ON FAIT "SEMBLANT"
QUOI ... ?

... À PLUS ...
HOP
KOUUUUUA
AAAHHHHH !?

... quoi ... ?
tu as déjà pêché un garçon ... ?
JE ... JE NE SAIS PAS ... MAIS ... COMMENT DIRE ...
SELON LUI ... IL VAUT MIEUX FAIRE SEMBLANT ... DE SORTIR ENSEMBLE ... !
ahhhhhh booooooooon ?
... ...

je ne pense pas que ce soit l'amoureux du soleil !
je suis content que tu aies un allié ...
mais, il y a quelque chose qui cloche ...
après tout, ce n'est pas sain de t'y obliger ! quel culot !!
... n'est-ce pas, haruko ?
HUMMM ...
... TU CROIS ?
t'as l'air heureuse, haruko !?
ne me dis pas que ...
tu es tombée amoureuse de ce type !!
ah nooooon, c'est malhonnête !!
... ça ne pourra jamais être
... le vrai amour !!

TCHAK
hein ... !!
héééééééééé !!
elle s'est réfugiée dans un sommeil profond ou quoi ??
hop
d'ac-cooord ... je vais lui tirer les cartes !!
THE MAGICIAN
TIRAGE DE CARTES EN COURS ...
VLAN
VLAN
VLAN
VLAN
voyons ...
comment je peux interpréter ...
XII
THE HANGED MAN.
... cette carte ... ?

... AH !
TENKO ... ! ... ÇA A ÉTÉ ?
ILS T'ONT DIT QUOI, LES PROFS ?
BEH ... PLEIN DE QUESTIONS
... ILS VONT FAIRE DES RECHERCHES
... JE LEUR AI DONNÉ TOUTES LES LETTRES
TOUT EST DÉVOILÉ ! ... COMME ÇA, TU ES EN SÉCURITÉ !
... TOUT ÇA, GRÂCE À KINOSAKI-SENPAI !!
T'AS D'LA CHANCE !!
... ÇA VOUS A RENDUS CÉLÈBRES DU COUP !!

MAIS ... JE ME DEMANDE ...
... POURQUOI UNE "SORCIÈRE" ??
GLOUPS ...
... OUI ... ?
VOUS PENSEZ QU'ELLE EXISTE ...
VRAIMENT ...
... LA "SORCIÈRE" ?
KOUAA !! ... CETTE "SORCIÈRE" EXISTE ??
NON, CE QUE JE VEUX DIRE ...
... C'EST SI LA PERSONNE DÉCRITE DANS CES LETTRES EXISTE VRAIMENT !
... ÇA PEUT ÊTRE UNE DE NOS CAMARADES QUI A LES CHEVEUX COURTS, UN CHAT ET "KO" COMME DERNIÈRE SYLLABE DE SON PRÉNOM

IL Y EN A PLEIN QUI RENTRENT DANS CES CRITÈRES, NOOONNN ...!!
... ÇA VISE N'IMPORTE QUI !!
... POURQUOI PAS UNE HUMILIATION SANS CIBLE PRÉCISE, HEIN ...??
MAIS HARUKO EST CENSÉE ÊTRE UNE CHASSEUSE, ALORS ...
SI CETTE "SORCIÈRE" EXISTE, ELLE PEUT TRÈS BIEN ÊTRE LE COUPABLE, NON ...?
... PAR CONTRE, LA RELATION ENTRE L'EXPÉDITEUR ET CETTE PERSONNE
... EST DÉJÀ PLUS INQUIÉTANTE !
SI TU AS RAISON, TENKO DEVIENT UNE PAUVRE VICTIME ARCHI-INNOCENTE !! ... J'EN REVIENS PAS !!!

C'EST ÇA ! ... ON NE COMPREND PAS SON BUT !
... EST-CE QUE LE COUPABLE VEUT NUIRE À LA "SORCIÈRE" OU ...
À LA CHASSEUSE ! ... ON NE PEUT PAS LE SAVOIR ?!
T'AS PEUT-ÊTRE RAISON !
... IL FAUT ALORS TROUVER LA "SORCIÈRE" !
DISONS QUELQU'UN QUI CORRESPOND AU PROFIL, QUOI ... !

OUAIS !!
... ON VA S'OCCUPER DE ÇA
... ET QUI SAIT CE QU'ON VA DÉCOUVRIR !!
MAIS QUOI ... ! ... C'EST UN PEU DIFFICILE À DÉTERMINER !!
QU'EST-CE QUE JE SUIS EN TRAIN DE FAIRE ...
... À CHIKA-CHAN ET AKANE-CHAN !
IL VAUT MIEUX DIRE QUE ...
... BEN QUE ...
JE SUIS ...
LA SORCIÈRE ... !

TU TE SOUVIENS DE LA LETTRE QUE TU AS REFUSÉE, HARUKO-CHAN ?
... HEIN ??
AH ... OUI !
DING
ON VA LA RÉCUPÉRER ET LA LIRE !
... ON AURA PLUS D'ÉLÉMENTS, ET ÇA NOUS FACILITERA LA TÂCHE !!
DONG
MAIS ...
ATTEN-DEZ ... !
T'INQUIÈTE, ON EST AVEC TOI !
EN PLUS, TU AS KINOSAKI-SENPAI DANS LA POCHE !!
COMMENÇONS PAR CHERCHER LE TYPE DE L'AUTRE JOUR ... !
DING
C'EST PARTI !!

DONG

... QUOI ... ??
... VOUS CHERCHEZ LA "SORCIÈRE" !?
OUAAAAIIIS SENPAI !!!
... C'EST POUR ÇA, QU'ON A MÊME RÉCUPÉRÉ ...
LA DERNIÈRE LETTRE !!
AKANE-CHAN, T'ARRÊTE PAS ! ... MONTE !!
IL EST ÉCRIT QUE ...
"LA SORCIÈRE" EST RELATIVEMENT PRÈS DE TOI. CONTRE CETTE INFORMATION, ELLE A GAGNÉ PLUS DE POUVOIRS MAGIQUES

TIENS ... FAIS VOIR, UN PEU !
WOW !
TAKIOKA-SENPAI EST LÀ AUSSI... ! ... LA CHANCE !! ♡
... HÉ !!
VOUS ÊTES CONNES OU QUOI ... ??
POU...
OUH LÀ ! ... IL EST VRAIMENT CLASSE ! ! ♡
... POURKOUAA-AAHHH ... ??
JE L'AI REFUSÉE EXPRÈS !!
... IL VEUT TE DESTABILISER ! JE T'AI DIT DE L'IGNORER !!
... TU JOUES AVEC LE FEU OU QUOI ?!

Intervalle 1/4
-4-
la voilà qui se sauve !
BOUM BOUM BOUM
Alleeeez !
encore et ecore !!
homme
elle est tellement énorme qu'en gros plan, on ne peut pas loger tout son corps
ah!
ah!
ah!

MAIIIIIS ... MAIS... MAIIIIIS ...
AH... ! IL ME PLAÎT ... ♡
ON PEUT SE DEMANDER SI CETTE "SORCIÈRE" EXISTE ... !
... N'EST-CE PAAAAS ??
OK ! ... ET PUIS ...

C'EST AGAÇANT DE NE RIEN FAIRE ...!
... N'EST-CE PAS, HARUKO ?
... BEN ...
GLOUPS
JE SAIS PLUS QUOI DIRE ...
... OUI
GLOUPS
GLOUPS
GLOUPS
OH LÀ, LÀ, LÀ ...
GLOUPS
GLOUPS

DITES... ! ... ÇA N'A RIEN À VOIR, MAIS ...
... JE PEUX VOUS POSER UNE QUESTION, KINOSAKI-SENPAI ?!?
VOUS ET TENKO ... OUPS !
... ET HARUKO, VOUS SORTEZ VRAIMENT ENSEMBLE ?!?
BEN OUI ! ... ÇA NE SE VOIT PAS !!
TENKOOO !! ... ALORS ?!?
BEH ...
DISONS QUE ...

... HIER, IL M'A DEMANDÉ DE FAIRE ...
... SEMBLANT
KOUUUUAAAH !!!
KOUUUUAAAH !!!
C'EST
KOOOUUUAAAH
ÇA !!
... HARUKO, TU ES D'ACCORD AVEC ELLES ?!
LA FERME !! ... MAIS, TOI ...
... HEIN ... ?

... ON PEUT SE DEMANDER SI CETTE "SORCIÈRE" EXISTE ...!
TU ES D'ACCORD ?
... OUI ...

... OK !

OUH LÀ LÀ LÀ LÀ LÀ...
N'IMPORTE QUOI ... !
JE SUIS BÊTE OU QUOI ... !

... DIS !
... KINOSAKI !
... HEIN ... ?
JE PEUX ...
... TE POSER UNE QUESTION TOUTE SIMPLE ?
VAS-Y !

BEN ... POURQUOI ...
... TU FAIS TOUT ÇA !
... POUR CETTE GAMINE ?
ET SI JE L'AIMAIS ... ?

... SANS BLAGUE ?!?

ENFIN ...
... SI T'AS PAS ENVIE, TE SENS PAS OBLIGÉ DE TE RACONTER !
TAKIOKA-KUN !!
SALUT !
... AH
VOUS PARTEZ ... ?
YOUPI !
C'EEEST ÇAAAAA !
YOUPI ! YOUPI !
... JE VOIS !
MOI AUSSI, J'Y VAIS DANS DEUX MINUTES !
OUAIS ... !!

PARCE QUE JE SUIS UN MESSAGER ...
... DES DIEUX ... !
... HEIN ??
... OUAIS ??
KOUAH ??
... QU'EST-CE QUE T'AS DIT ? ... J'AI PAS ENTENDU !!

OUIIIN...!!
...RÉPÉTER ?! NON !!
...UNE SEULE FOIS ?
POUR-QUOOOO-OIIII ??
...RADIN !!
...JE SUIS TON MEILLEUR POTE, HEIN !?
AH, BON ? ... J'ÉTAIS PAS AU COURANT !

JE T'EN PRIE ...!
... RÉPÈTEEEE !!!
TU M'ÉCOUTES PLUS OU QUOI ??
... KINOSAKIIIIIIII !!

bonnn ... bref !
... vous allez chercher la sorcière ... !
... oui ...
Dis, Silk ...
Qu'est-ce que je peux faire ... ?

ben, c'est toi qui décides ... !
T'ES VRAIMENT MÉCHANT !!
... ON POURRAIT EN DISCUTER AU MOINS !
je ne suis qu'un messager des dieux ... pas ton conseiller !!
... je te tire juste les cartes ! ... mais ...
... avant d'aller plus loin, haruko ...
... que veux-tu faire ... toi ?

... ce que je veux faire ??
dans ce cas, réfléchis-y bien, haruko ... !
... mûris tranquillement et trouve la réponse !
... il y a tes amis aussi !
... tu as des alliés, non ?
... ils peuvent t'aider ?!
cela dit ...
... je ne sais plus ?! ... c'est pour ça que je te le demande !!
si tu restes ainsi ...
tu risques de mettre la charrue avant les bœufs !

JE DEVRAIS LEUR AVOUER ... QUE JE SUIS UNE SORCIÈRE ... ?
MAIS ...
... MÊME SI J'EN PARLE, LE COUPABLE, LUI, VEUT ME DESTABILISER COMPLÈTEMENT !
... ÇA ME FAIT PEUR ... !!
ET PUIS ...
... EN ÉTANT UNE SORCIÈRE
... JE RISQUE D'ÉLOIGNER MES AMIS !
... JE NE LE SUPPORTERAI PAS !!

JE VIENS À PEINE DE GAGNER LEUR AMITIÉ ...
... ÇA SERAIT TERRIBLE !!

dis-moi, le fait d'être une sorcière ...
... c'est un handicap ... ... pour toi ?

... aaaah bon ?!? ... c'est ta façon de penser !!
ça alors !!
tu as honte d'être sorcière ... !!
MINCE ...

ça veut dire que ... ... je suis le plus mauvais et ...
... le plus pitoyable des messagers des dieux au monde !!!
SILK, C'EST PAS ÇA ...!
ATTENDS !!
TCHAC

DIS HARUKO !
... SI ON FAISAIT UNE LISTE ?
UNE LISTE ... ?
LA LISTE DES ÉLÈVES QUI CORRESPONDENT AUX CRITÈRES DE "SORCIÈRE" ...
... ON COMMENCE PAR SÉLECTIONNER LES PERSONNES QUI PORTENT "KO" DANS LEUR PRÉNOM !

OK ! ... ÇA DOIT PAS ÊTRE SI COMPLIQUÉ !
ON PARTAGE LE TRAVAIL ?!
D'AC ! ... MAIS COMMENT FAIRE AU JUSTE ?
DITES ...

HEIN ?
ÉCOUTEZ ...

... LA "SORCIÈRE" ...
ÇA POURRAIT ÊTRE MOI ... ! ... EN FAIT ...
... JE REMPLIS TOUTES LES CONDITIONS
... ET PUIS ... JE M'EXCUSE DE NE PAS L'AVOIR DIT PLUS TÔT ...
... MAIS JE SUIS VRAIMENT ...
UNE SORCIÈRE ... !

KOUAH ... ??
... QUOI ? ... C'EST UNE BLAGUE ??
NON, C'EST SÉRIEUX ! ... JE SUIS SORCIÈRE ...
HÉ, CHIKA ... !!

HAKURO-CHAN, TU ME DÉÇOIS !!
A... ATTENDS ...!
... CHIKAAA ... !!

Intervalle 1/4
-5-
Comme tamie a une bonne raison de réagir, je vais l'interviewer, miaou !
Moi, je ne suis pas grosse !
micro
*traduction simultanée
sérieuse
c'est à cause de ma maîtresse, je crois...
voilà, c'étaient les dernières nouvelles de pou

ATTENDS ! ... CHIKA !!
... QU'EST-CE QUI TE PREND ?
... BEN ALORS ... ?!
C'EST N'IMPORTE QUOI !!
... ELLE SE MOQUE DE NOUS !?!
NOUS, ON S'INQUIÈTE DE TOUT CŒUR POUR ELLE, MAIS ...
... J'EN REVIENS PAS COMME ELLE DÉCONNE ! ... ÇA M'ÉNERVE !!

... ELLE S'EN FICHE DE NOUS ... !
... C'ÉTAIT TELLEMENT BIZARRE AUSSI CETTE INTERVENTION SOUDAINE DE SENPAI ... !
LA PREMIÈRE LETTRE ...
... DIS ...
... ET SI C'ÉTAIT HARUKO QUI L'AVAIT ÉCRITE ELLE-MÊME ... ?

NON, TU PARLES ...!
MAIS ...
... IL N'Y A AUCUN TÉMOIN POUR PROUVER QU'ELLE ÉTAIT DANS LE TROPHÉE !
... MOI, JE L'AI CRUE PUISQUE C'EST ELLE QUI ME L'A DIT ...!
SEULEMENT ... JE ME DEMANDE SI TOUT ÇA N'EST PAS FAIT JUSTE POUR ATTIRER L'ATTENTION ...
DE SENPAI ET DE NOUS ...!?
J'ESPÈRE QUE NON ...!?!

... QUELLE IMBÉCILE !!
IL NE FALLAIT JAMAIS L'AVOUER ... !!
... CHIKA-CHAN ME DÉTESTE ! TU VAS ME LE PAYER ... !!
... C'EST À CAUSE DE TOI ... !
TACK
C'EST LA FIN DU MONDE ... !
... JE NE VEUX PLUS ALLER À L'ÉCOLE ...

ZBAAAMM!
t'es qu'une ...
... poule mouillée !!
OUCH!
... souviens-toi de ce que tu as fait ... !!
... tu as soupçonné kinosaki au début, non ... ?!?
... seulement kinosaki t'a protégée

mais toi, t'en fais qu'à ...
malgré l'aide de tes amis ...
tu t'effrayes pour si peu !
... tu trouves ça juste ?!?
tu n'as fait aucun effort pour la convaincre !
... tu ne fais que pleurer !!
tu es une sorcière, non ? alors approche-toi du coupable qui se cache !!
... tu peux le faire ! ... et tu sais le faire !!!
secoue-toi, Cynthia ... !!

ton héritage maternel est cette protection magique du soleil et de la lune !
... seulement tu ne te rends pas compte de ce que ça veut dire ... !
... ça veut dire que ta mère, la première Cynthia, te regarde, Haruko !!
t'as pas honte !?!

...
OH
...
SCHLA AAAAAA
niaaaoou
frou frou
niaouuuuu...
miaaaaooonn...

... SILK ...
... JE SUIS ... DÉSOLÉE ...
niaooooouu
MOI ...
... JE NE CÉDERAI PAS ... !
ron ron
miaaaooouu

... SALUT ... !
... AH ... ?
T'ES TOUTE SEULE CE MATIN ?
... OÙ SONT TES AMIES ?
DITES ...
JE SUIS DÉSOLÉE DE VOUS AVOIR SOUP-ÇONNÉ
saluer
... QUOI ... ?
BEN, QU'EST-CE QUI TE PREND ... ?
ET PUIS ... MERCI BEAUCOUP DE ME PROTÉGER ... !

ÇA M'A BEAUCOUP TOUCHÉE ...
TELLEMENT TOUCHÉE QUE J'EN AI PLEURÉ
... ALORS QUE JE VOUS SOUPÇONNAIS ...
... VOUS M'AVEZ DONNÉ DU COURAGE QUAND VOUS ÉTIEZ SUR L'ESTRADE ...
DONC ...
JE VAIS GARDER CE COURAGE EN MOI ET ...
UTILISER LA MAGIE ! ... EN FAIT ...

JE SUIS SORCIÈRE
...!
saluer

ha...
OUIIIII ...!
... JE SUIS LÀÀÀÀÀ ...!
... harukooooo !!
catastrophe ... !
... c'est la cata, haruko !!

c'est pas le moment de prendre du thé avec des lutins, haruko !
JE NE T'ENTENDS PAS ... ?!
... VIENS SILK !
... IL Y A DU BON THÉ !
nyooon ! ... c'est pas le moment !!
... y'a un message divin !!
... la "sorcière" arrive ... !!

tu m'entends ?!? ... la "sorcière" arrive ! ... elle s'approche de toi ! ... ce sont mes cartes qui le disent !!
hé !
mes messages se réalisent toujours, tu le sais !!
MAIS QU'EST-CE QUE TU ME CHANTES ...?
... C'EST MOI, LA "SORCIÈRE" !
... en plus, c'est dans très peu de temps !!
je rêve ??

niiiiiyaaaaooouuuuuuu
BONJOUR, SILK !
... QU'EST-CE QU'IL Y A ? ... T'ES BIZARRE CE MATIN ?!
CE QUE TU DISAIS DANS MON RÊVE ÉTAIT ÉTRANGE, AUSSI ...
JE VAIS À L'ÉCOLE !
... SOIS SAGE !
SMACK
niaouuu
niouniaoumiou
... À CE SOIR ... !!

SI CHIKA-CHAN ET AKANE-CHAN SONT DÉJÀ LÀ ...
... JE VOUDRAIS BIEN LEUR EN PARLER !
... OUI, J'AIMERAIS BIEN ... !
MLLE MORIMIYA !
... OUI ... ?
... SALUT !

QUI EST-CE ... !?
Sourire
... JE M'APPELLE KODEMARI TAKAMIYA DE LA CLASSE 1
ENCHANTÉE !
... RAVIE DE TE CONNAÎTRE
EUH... D'ACCORD ... MOI AUSSI ...
?
?
?

N'AIE PAS PEUR !
... J'OSE À PEINE TE DEMANDER D'ÊTRE AMIE ... !
... HEIN ... ?
À VRAI DIRE ...
... LORS DE LA DERNIÈRE RÉUNION AU GYMNASE ...
UN SENPAI T'A PRIS SOUS SA PROTECTION CONTRE L'IJIME
... DEPUIS, ÇA ME TRAVAILLE ...
... JE NE PEUX PAS ÊTRE INDIFFÉ-RENTE ...
... EN FAIT ...

... MOI AUSSI, J'EN AI ÉTÉ VICTIME ...
... QUAND J'ÉTAIS À L'ÉCOLE PRIMAIRE !
... DONC, JE COMPRENDS TRÈS BIEN CE QUE TU RESSENS ... ! JE PENSE QUE ...
... ÇA DOIT PAS ÊTRE FACILE ... MAIS TIENS BON !
... APPAREMMENT TU AS DÉJÀ UN BON ANGE GARDIEN COMME CE SENPAI !
... MAIS J'AIMERAIS AUSSI T'AIDER ... !

ÇA TE DIT ?
... MAIS OUI ... !!
BON ...
... C'EST DÉCIDÉ ...
ON EST AMIES ... !
OUUU ...
WOUUUUUIIIII-NNNN, MEEERCIIIII BEAUCOUUUUP !!!
N'HÉSITE PAS À ME DEMANDER QUOI QUE CE SOIT !
... JE SUIS PRÊTE À T'AIDER !
WOW !
DITES ...
VOU ...
... VOUS POUVEZ M'ACCOMPAGNER POUR DONNER UNE EXPLICATION ?
QUOI... ? ... UNE EXPLICATION !?
EN FAIT ... C'EST POUR MES AMIES ! ...
KOUAA-AAAH !?

CHIKA-CHAN ET AKANE-CHAN ...
... S'IL VOUS PLAÎT, VENEZ ...
ÉCOUTEZ-MOI ...!
TENKO ...?
TCHA
CHIKA-CHAN, S'IL TE PLAÎT ...!
ÉCOUTEZ ...
... POURQUOI JE SUIS UNE SORCIÈRE
... OU PLUTÔT COMMENT JE SUIS DEVENUE SORCIÈRE ...!

... LA "SORCIÈRE" ?
... C'EST TOI ... ??
... AH ...
HEU... EN EFFET !
... J'AIMERAIS QUE TU M'ÉCOUTES AUSSI ... JE M'EX-PLIQUE ...
IL EST VRAI QUE ...
... C'EST ÉCRIT "CHERCHER LA SORCIÈRE"
BREF ! ... TU VEUX DIRE QUE CE "HUNTER" ET LA "SORCIÈRE" ... C'EST TOI !
C'EST BIEN ÇA ... ?!

TU ES SÉRIEUSE ...
HARUKO-CHAN ?!
C'EST MA MÈRE QUI M'A TRANSMIS CE DON AVANT DE MOURIR IL Y A CINQ ANS
... QUAND J'ÉTAIS PETITE, J'ÉTAIS TRÈS TIMIDE ...
CETTE TIMIDITÉ M'EMPÊCHAIT D'ÊTRE BIEN ...
... UN JOUR MA MÈRE M'A DIT
HARUKO, JE GARDAIS CE SECRET POUR MOI SEULE ... MAIS
... JE DOIS T'AVOUER QUE JE SUIS UNE SORCIÈRE ...
... VOILÀ ...

... ELLE M'AVAIT TOUJOURS ENSORCELÉE PAR EXEMPLE AVEC CETTE MAGIE QUI DONNE DU COURAGE
... ET AVANT DE ME QUITTER, ELLE M'A LAISSÉ SON NOM DE SORCIÈRE ET SILK, UN CHAT MESSAGER DES DIEUX
ÇA DEVAIT ÊTRE UNE SUPER MAMAN ...
JE SUIS DÉSOLÉE, TENKO !
... JE NE SAVAIS PAS !
ÇA VEUT DIRE QUE ...

... TU TE PRENDS POUR LA "SOI-DISANT SORCIÈRE" ?
SI ... TU VEUX ... !
JE NE PARLERAI PAS DE MON RÊVE
TU M'ÉTONNES ! ... D'ACCORD ...
HI HI
... JE COMPRENDS TOUT !
... HEIN ... ?
... QUOI ?
PARDON, MLLE MORIMIYA ...
... À VRAI DIRE J'AVAIS UNE ARRIÈRE-PENSÉE !
... UNE ARRIÈRE-PENSÉE ... ?
... OUI ...
EN FAIT, JE SAVAIS QUE VOUS CHERCHIEZ LA SORCIÈRE ...
PARCE QUE VOUS EN PARLIEZ À VOIX HAUTE DANS LE COULOIR
... ET ALORS ...

... JE VOULAIS SAVOIR POURQUOI VOUS LA CHERCHIEZ !?
... MAIS QUAND TU AS ANNONCÉ QUE TU EN ÉTAIS UNE ÇA M'A ÉTONNÉE
... ENFIN BON, MAINTENANT J'AI TOUT COMPRIS !
CAR ...
... JE SUIS AUSSI UNE SORCIÈRE !

...HEIN...??
JE VOUS AI DIT QUE ...
... MOI AUSSI, J'AI CE DON
DISONS QUE ...
... SI MLLE MORIMIYA EST LA "SOI-DISANT SORCIÈRE"
... VOUS POUVEZ AUSSI ME CONSIDÉRER COMME TELLE ...!
... QUOI ... ... QUOI ... ?!?

COMME TOI, J'AI UN NOM DE SORCIÈRE ...
... ENFIN, JE ME SUIS DONNÉE CE TITRE... ! MAIS BON, J'AI AUSSI UN CHAT MESSAGER DES DIEUX
... JE ME PRENDS POUR UNE SORCIÈRE DEPUIS L'ÉCOLE PRIMAIRE
QUELQUE PART, JE SUIS CONTENTE D'ÊTRE NÉE À LA BONNE ÉPOQUE ...
PUISQUE MÊME SI JE L'AVOUE, ON NE ME CHASSE PAS ...!
D. ... QUOI ... ?!?
silence

QUOIQUE ...
MAIS QU'EST-CE QUE C'EST ...
... QUE ÇA ?
À QUOI ÇA SERT DE TROUVER LA "SORCIÈRE" ... ?
... JE NE VOIS PAS LE BUT !
!!

C'EST BIEN ÇA ... !
... ON NE SAIT PAS SI LA CIBLE EST LE HUNTER OU LA "SORCIÈRE" !?!
... C'EST CE QU'ON SE DISAIT !
OUI, MAIS ...
... EN LISANT CES LETTRES ...
... J'AI EU UNE IDÉE !

LE COUPABLE A SÛREMENT DES CONNAISSANCES
... EN MAGIE, EN SORCELLERIE OU POUR LE SURNATUREL, EN TOUT CAS
...
... HEIN ... ?
POURQUOI ... ?
BEN ...

... REGARDEZ !
C'EST ÉCRIT "LA SORCIÈRE EST UNE FILLE QUI N'A PAS DE CHEVEUX LONGS"

... POUR NOUS "WITCH" SE TRADUIT PAR "SORCIÈRE" ... SEULEMENT C'EST INCORRECT
... CAR "WITCH" EN ANGLAIS PEUT AUSSI ÊTRE MASCULIN !
MAIS ...
... C'EST VRAI QU'ON N'Y PENSE PAS, NON ... ?

CE N'EST PAS LA PEINE ...
DE PRÉCISER QUE ...
... "LA SORCIÈRE EST UNE FILLE"
... PUISQUE LE MOT SORCIÈRE EST NATUREL-LEMENT FÉMININ, NON ... ?
... ON N'IMAGINE PAS UN GARÇON !
EN PLUS, IL EMPLOIE LE MOT "HUNTER" POUR LA PERSONNE QUI CHASSE LA "SORCIÈRE"
... ÇA VIENT DE "WITCH HUNTER" QUE L'HISTOIRE A TRADUIT PAR "CHASSE AUX SORCIÈRES"

Intervalle 1/4
-6-
Bonmiaou... c'est pou, miaou ... en fait chez Hiwatari, il y avait aussi une autre chatte, tukihime (princesse de la lune), une chinchilla grise
j'ai dit ... il y avait ..., parce qu'elle n'est plus là, miaou ... elle nous a quittés en juin 99, miaou ....
elle était vraiment charmante et mignonne, miaou
moi aussi, je l'aimais beaucoup, miaou... bien que je ne lui plaise pas...
ET C'EST PAS FINI ...
... ÇA !
... CE SONT DES "WITCHES CRAFT"
... N'EST-CE PAS ... ?
QU'EST-CE QUE C'EST, DES WITCHES CRAFT ??
C'EST UNE BLAGUE OU QUOI ?!
TU VIENS JUSTE DE NOUS DIRE QUE T'ÉTAIS UNE SORCIÈRE ?
EN FAIT, C'EST DE LA SORCELLERIE
... COMME CELLE QUE LA SORCIÈRE PRATIQUE EN JETANT DES MAUVAIS SORTS !
SI JE VOUS DIS QUE ...

... CES PAPIERS SONT ENSORCELÉS, C'EST PLUS CLAIR ... ?
CETTE MALÉDICTION PÈSE DÉJÀ SUR CES PAPIERS ...
... CAR ILS VISENT À FAIRE SOUFFRIR LA PERSONNE
... QUI VA LES PRENDRE DANS SES MAINS
C'EST DE LA MAGIE NOIRE, À MON AVIS !
C'EST PAS VRAIIIIIIIII !!

AVEC CES ÉLÉMENTS, ON PEUT AVOIR UNE AUTRE IDÉE
... DU COU-PABLE, NON ... ?
PAR EXEMPLE ...
... ÇA PEUT TRÈS BIEN ÊTRE UN GARÇON
... QUI PRÉCISE QUE C'EST UNE FILLE, POUR RESTER ÉLOIGNÉ DE TOUT ÇA !
C'EST BIEN POSSIBLE !

BREF
...
PEU IMPORTE S'IL EN EST CONSCIENT OU PAS, MAIS
...
... C'EST LUI QUI EST LA "SORCIÈRE" OU PLUTÔT
...
LE "WITCH" !!

JE N'Y...

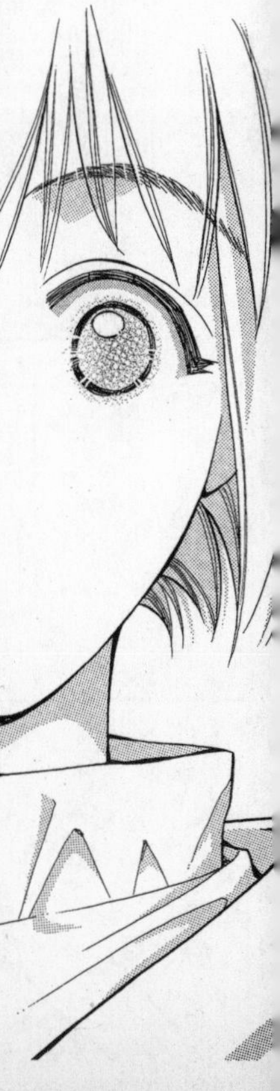

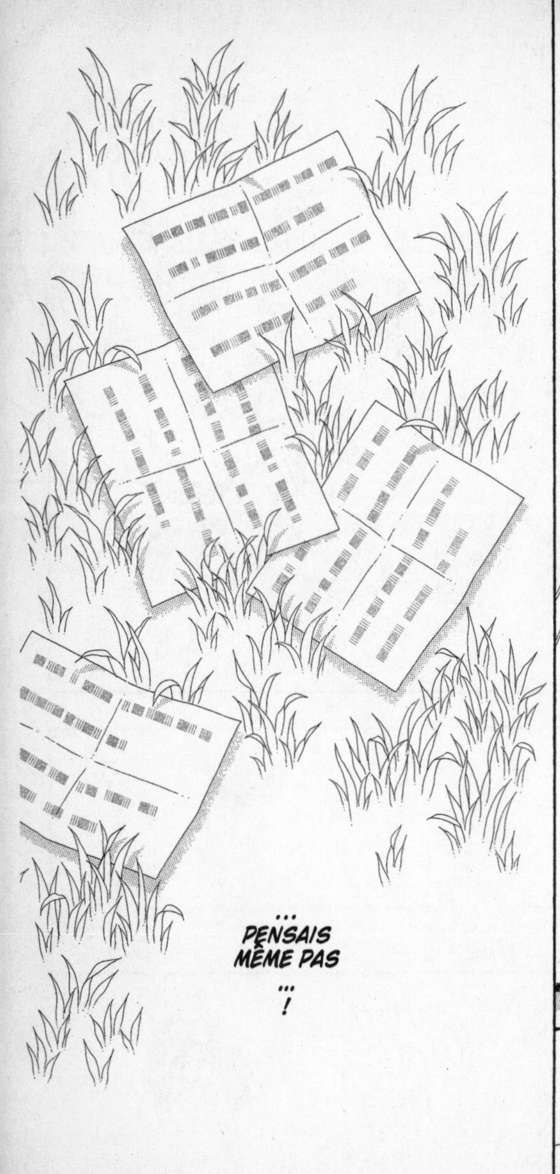

HÉ, TAKIOKA !
HÉ

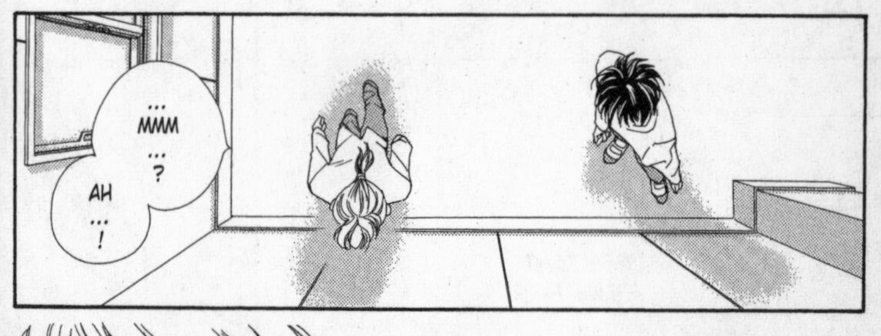
... MMM ... ?
AH ... !

OH!!

T'ÉTAIS COMPLÈTEMENT DANS LA LUNE ...
... PRÊT À ENTRER DANS LE MUR !
AH ... ! OUI ... OUI ! JE ... MÉDITAIS !
SEN-PAAAAI !
... KINOSAKI-SENPAAAI !!
TAN TAN TAN
MON DIEU, SENPAI !
... ON A TROUVÉ LA "SORCIÈRE" !!

JE NE SAIS PAS POURQUOI ... ?
... MAIS ELLE PRÉTEND ÊTRE UNE SORCIÈRE
... CETTE FILLE !!
... ELLE EST EN CLASSE 1
... OH ...
... CIAO !

... VOUS VOUS CONNAISSEZ ?
KOUAH ... ??
OUAIS !
... ON EST VOISINS
BEN ...
OUI !
... AH BON !?
MAIS ATTENDS ...
C'ÉTAIT PAS HARUKO LA "SORCIÈRE", NON ... ?
POUR-QUOOOIIII !!?
... VOUS ÊTES AU COURANT !!? VOUS SAVEZ TOUT OU QUOI ?
BEN, PARCE QU'ELLE ME L'A DIT !

N'EST-CE PAS... ?
OU... OUI...
HÉ, ALORS...
... SI J'AI BIEN COMPRIS
... IL Y A DEUX CANDIDATES POUR UNE SORCIÈRE ?
... TU ES SORCIÈRE, EN FAIT ?
IL PARAÎT...

... YES ... !
JE SUIS UNE WICKA !
MAIS, C'EST ... ÉTRANGE ...

BON ...
ÇA VEUT DIRE QUE ...
... TU AS ENFIN TROUVÉ LA "SORCIÈRE", HARUKO !
GLOUPS
ÇA VEUT DIRE AUSSI QUE ...
DÈS MAINTENANT, VOUS PROTÉGEZ KODEMARI !?
KOUA-AAH ??
MAIS, POURQUOI ... ?
PARCE QUE ... PARCE QUE ...
APRÈS HARUKO, LA CIBLE POUR LE PROCHAIN IJIME SERA KODEMARI !!
... VOUS NE POUVEZ PAS LAISSER FAIRE ÇA, NON !?

FERME-LA !!
J'AI PAS L'INTENTION DE PROTÉGER UNE AUTRE PERSONNE QU'HARUKO ...
OU ... PS ...
... T'ES GONFLÉ !!
HA ! HA ! HA ! HA ! HA !
SANS BLAGUE !
... DÉLIIIIIIRE !!
... POURQUOOOI, SENPAI ?
... MAIS POURQUO-OOOOI ??

BIEN JOUÉ !
... TU AS UTILISÉ QUELLE FORMULE MAGIQUE ?
... HEIN ... ?
OU BIEN, UN PHILTRE ... ?

TOI, LA "SOI-DISANT SORCIÈRE"... ? TU T'Y CROIS !
... TU PRATIQUES BIEN LA MAGIE !
... REDOUTABLE !!
... EN FAIT, C'EST TOI LA COUPABLE ...
... NON, PEUT-ÊTRE PAS !?

NO ...
NON !!
BAH ! ... QU'EST-CE QUE TU RACONTES !!
OUH LÀ LÀ ...
C'EST NORMAL QUE JE DOUTE
... PUISQUE C'EST MOI LA PROCHAINE VICTIME, COMME L'A DIT KOGARU-CHAN (9) ... !
... JE DEVIENS MÉFIANTE, C'EST TOUT !

... À PLUS ...!

ah bon ... je vois ...
... la "sorcière" est venue à toi !
... je m'en doutais !
je te l'ai dit, mon message s'est réalisé !
con-tent !
haru-kooo ...
il est top ce rêve !
SCHRRR
DIS ...
SILK !

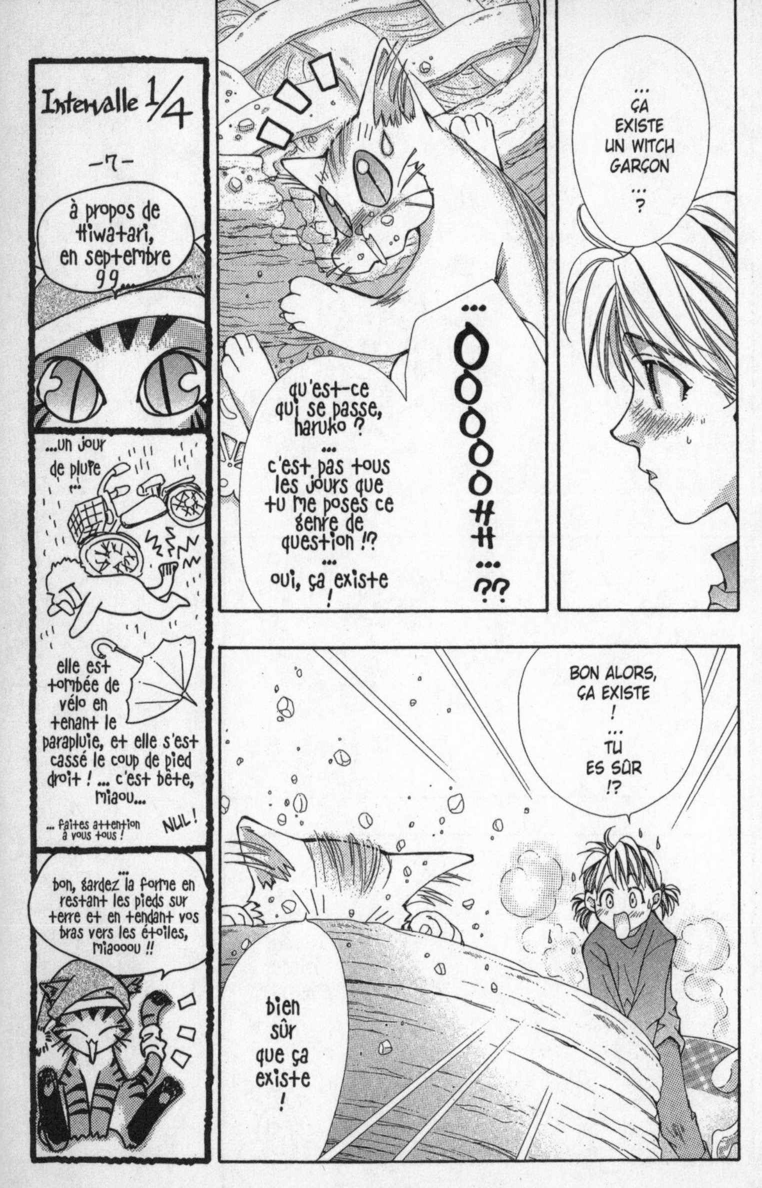
... ÇA EXISTE UN WITCH GARÇON ... ?
...OOOOOH!! ...??
qu'est-ce qui se passe, haruko ? ... c'est pas tous les jours que tu me poses ce genre de question !? ... oui, ça existe !
BON ALORS, ÇA EXISTE ! ... TU ES SÛR !?
bien sûr que ça existe !
Intervalle 1/4
-7-
à propos de Hiwatari, en septembre 99...
...un jour de pluie ...
elle est tombée de vélo en tenant le parapluie, et elle s'est cassé le coup de pied droit ! ... c'est bête, miaou...
... faites attention à vous tous !
NUL !
... bon, gardez la forme en restant les pieds sur terre et en tendant vos bras vers les étoiles, miaoou !!

la traduction de "witch" est bien "sorcière", seulement ...
deux "witches" sur dix étaient des hommes, il paraît ... !

QUELLE EST LA DIFFÉ-RENCE ?
AU FAIT ... POURQUOI TU ES SI GRAND AUJOUR-D'HUI?
tu trouves ... ? ... je me rends pas compte !
... mais si c'est un homme, il se présente sous le nom de "wizard"
de nos jours, l'appellation "wizard" laisse entendre ...
plus évolué que "witch" !
HOP
... ce mot dans son étymologie veut aussi dire sage

MAIS TU SAIS QUOI, SILK ... ?
... CETTE FILLE, ELLE NE S'EST PAS PRÉSENTÉE COMME "WITCH", MAIS ...
... ELLE A DIT "WICKA" !
wow ... c'est exact !
... POURQUOI ? ... QUOI ?
"witch" est l'appellation ...
que le commun des mortels employait
... cependant les sorcières ne se présentaient pas ainsi ...
... elles utilisaient le mot "wicka"
... c'est comme ça qu'on appelait une sorcière en ancien anglais !

EMU...
après cinq ans de téna-cité ...
... c'est la première fois que je remplis correctement ma tâche de messager des dieux, haruko !!
... t'enseigner ce type de connaissance ...
... est aussi l'un des rôles du messager !!
miaouiiiiiiiin
JE NE SAVAIS PAS QUE TU ÉTAIS TRÈS INSTRUIT ...
SCHRAAAA
attention ! ... j'ai été le messager de la dernière Cynthia !!
... j'ai beaucoup étudié à cette époque-là !
... pose-moi toutes les questions que tu veux !
FIER
... ...

MAMAN ...
... MAMAN ÉTAIT VRAIMENT SORCIÈRE ... ?
... UNE VRAIE SORCIÈRE ??
bien entendu, Haruko !
... les gens qui aiment le jeu se présentent comme des joueurs
... c'est pareil pour le reste

à l'origine, vous êtes tous humains ...
après chacun a son style ... c'est tout !
... et toi, Haruko
...tu étais prédisposée pour être une sorcière ... !
... si ça ne te plaît pas ... tu pourras en changer !
... tu en es complètement libre
mais quand même Haruko ...
... je serais heureux de savoir ...
... quel genre de sorcière tu deviendras ... !?

... déjà ...
... tu crois en "la magie du soleil et de la lune", non ...
Haruko ... ?

TCHAC
... MMM ... ?
SCHRRRR
... UNE LETTRE ... !!

... Félicitations ...

Félicitations ...

... tu as enfin trouvé la sorcière !

... nous pouvons donc
passer à l'étape suivante !!

passe...
une bonne
journée !!

...

magic intérieure !

1/Fin

Traduction : Yuko.k
Adaptation : S. Centonze

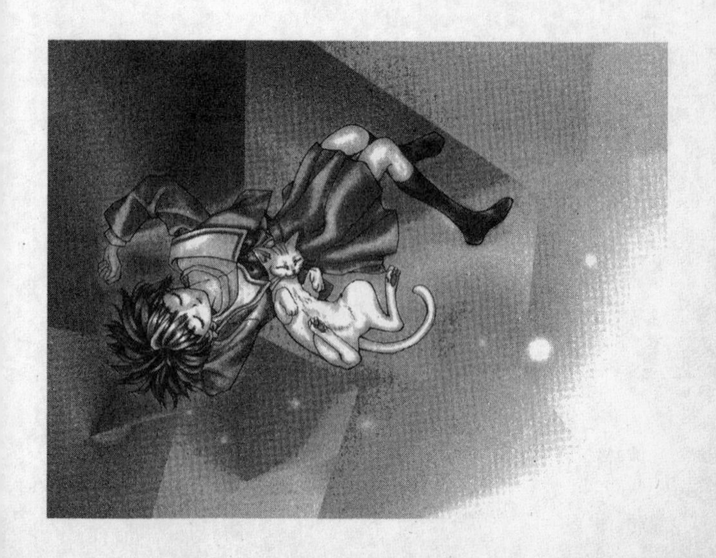

CLÉS DE COMPRÉHENSION

COLLÈGE ★ PAGE 14

Au Japon, l'école primaire possède six niveaux et accueille les enfants de sept ans à douze ans. Ensuite, les élèves entrent au collège et passent trois niveaux supplémentaires. Durant toute cette période, le redoublement n'existe pas. Haruko, elle, est en première année de collège, elle a donc treize ans.

CHAN ★ PAGE 18

Suffixe affectif qui se place à la suite d'un prénom féminin, mais on peut aussi l'utiliser lorsqu'on s'adresse à un enfant. Certaines fois, on l'emploie en enlevant la dernière syllabe du prénom, par exemple Haruko-chan devient Haru-chan.

CHIKA ★ PAGE 25

En japonais le « ch » ne se prononce pas comme en français : il faut ajouter un « t » en début de prononciation. Ainsi chika se dit « tchika ».

JANKEN-PON ★ PAGE 27

Jeu entre deux ou plusieurs partenaires où l'on affronte la pierre, le ciseau et la feuille. La pierre casse le ciseau, le ciseau coupe la feuille, la feuille enveloppe la pierre. Chaque partenaire choisi très rapidement l'un de ces trois objets et le confronte avec les autres : l'objet qui prend le dessus désigne le gagnant. Au moment où l'on dit « janken », on choisit l'objet que l'on va jouer, et quand on le montre, on dit « pon », cela permet de rythmer le jeu. En France, ce jeu existe avec un élément en plus : le puits.

SENPAI ★ PAGE 31

Suffixe respectueux souvent situé à la suite d'un nom de famille. Il indique que cette personne a plus d'ancienneté au sein de l'école. Il peut aussi se rencontrer dans l'univers du travail en entreprise.

IJIME ★ PAGE 75

Mot japonais traduisant une action de mise à l'écart. Celle-ci peut avoir des conséquences très grave, car chaque année, des enfants victimes d'« ijime » se suicident.

1OHARUKO ★ PAGE 91

En kanji, Haruko s'écrit normalement « enfant de printemps », mais selon le choix des kanji, on peut donner différentes significations aux prénoms. Pour cette Haruko, les kanji choisis signifient « lac du ciel ». Et la lecture peut alors se dire « tenko ».

AKANE ★ PAGE 92

Le « e » final se prononce « é » en japonais. Akane se dit donc « Akané ».

KOGARU ★ PAGE 184

Au Japon, c'était très tendance, à une certaine époque, d'avoir le teint mat soit en se maquillant ou alors en étant bronzé, comme Akane. Ces jeunes filles qui suivent la mode ont été nommées « kogal » : « ko » est un mot japonais qui veut dire « petite » ; « gal » est un mot familier, déformation de l'anglais pour dire « girl ». Kodemari emploie le diminutif « kogaru-chan » pour nommer Akane, car elle fait partie de ces jeunes filles branchées.

DANS LA MÊME COLLECTION

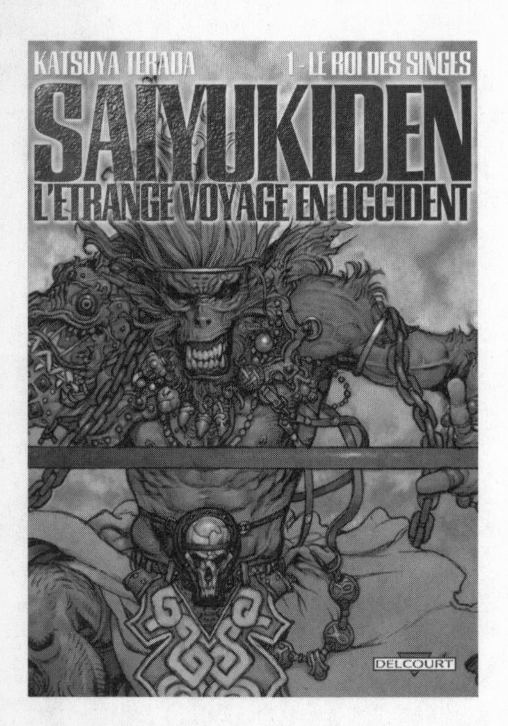

Saiyukiden est une adaptation originale et surprenante de *La Légende du Roi des Singes*. Ce roman classique chinois du XVᵉ siècle, une des œuvres majeures de la littérature asiatique, raconte les aventures d'un singe né d'un œuf de pierre. Katsuya Terada nous entraîne au moment où le Roi des Singes, accompagné d'un cochon, escorte une nonne pour un voyage vers l'Inde, en quête des textes sacrés bouddhistes.

Saiyukiden, l'étrange voyage en Occident **de Katsuya Terada**

1 volume paru, tome 2 à paraître ; 128 pages couleurs

L'immédiat après-guerre au Japon. L'occupant américain impose ses volontés au vaincu exsangue dans un but "démocratique". Les effets de la réforme agraire se font sentir jusque dans la région reculée du nord de Tokyo, Yodoyama, où la famille de grands propriétaires Tengé faisait la loi jusque-là. Jiro Tengé, prisonnier de guerre tout juste rapatrié, est devenu un agent secret au service des forces américaines. Il retrouve une famille dont les liens se sont singulièrement dénaturés. Maudite par sa naissance, sa "sœur", la petite Ayako, sera le jouet du destin.

Ayako **d'Osamu Tezuka**

1 volume paru, tome 2 à paraître ; 224 pages n&b

SING "YESTERDAY" FOR ME

Le décor est celui d'une petite supérette ouverte jour et nuit, à Tokyo. C'est là que travaille Rikuo Uozumi, un jeune homme tout juste sorti de l'université. Sans grande ambition, il n'a rien trouvé, ou plutôt rien cherché, à faire de mieux depuis qu'il a arrêté ses études. Le retour d'un ancien amour d'étudiant et l'arrivée tonitruante d'une jeune fille excentrique parviendront-ils à le faire sortir de sa léthargie ? Dans ce petit théâtre de quartier, c'est l'éternelle comédie des sentiments qui se joue ...

Sing "Yesterday" for me de Kei Toume

1 volume paru, tome 2 à paraître ; 256 pages n&b

LARME ULTIME

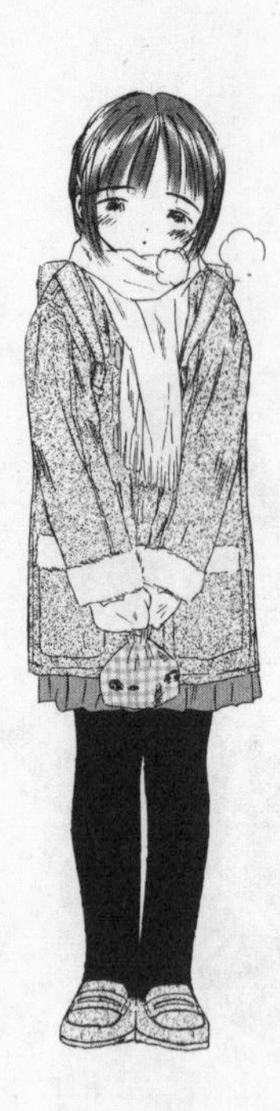

Shûji et Chise forment un couple de lycéens ordinaires au sein d'une ville épargnée par une guerre hyper-technologique. Le journal intime qu'ils tiennent en commun dévoile à Shûji celle qu'il commence à aimer : le corps de la jeune fille abrite un terrible secret...
À la gabegie actuelle, Shin Takahashi oppose un sentiment paradoxal, mélange d'impuissance et de volonté farouche de s'en sortir. L'Amour : une réponse Ultime aux désordres ?

***Larme ultime* de Shin Takahashi**
4 volumes parus, tome 5 à paraître ; 224 à 256 pages n&b

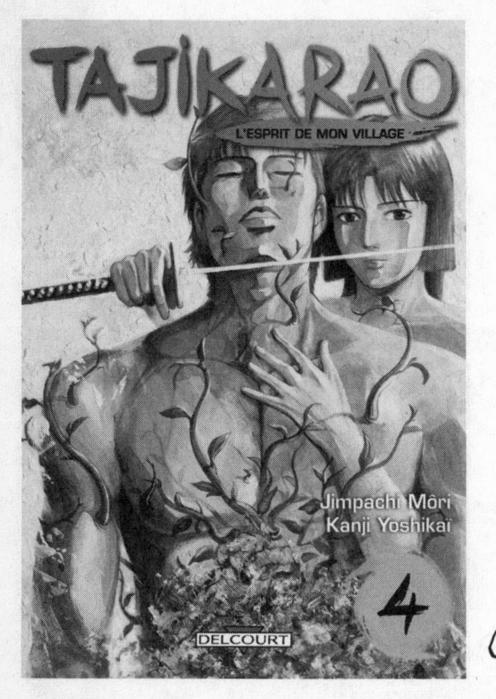

Petit hameau du sud du Japon, Yamagami est épargné par la modernisation, mais n'est plus peuplé que de vieillards qui pratiquent des rites shinto très anciens et vivent en harmonie avec la nature. Le retour au pays d'un jeune prodigue, traqué par des yakuzas, bouleverse cet équilibre. Tajikarao, dieu protecteur du village, va de nouveau se réveiller et manifester sa colère.
Tajikarao est une œuvre surprenante qui démonte les artifices qui animent la foi en notre manière de vivre.

Tajikarao, l'esprit de mon village
de Jimpachi Môri & Kanji Yoshikaï
Série en 4 volumes ; 256 à 288 pages n&b

Ki-itchi est un garçon d'à peine trois ans qui ne pleure ni ne parle beaucoup, mais qui se conduit selon son coeur, conscient de ce qu'il fait. Un vrai petit garçon au caractère viril ! Choyé par ses parents, Il réside à Tokyo, et pose son regard pur et acéré sur le Japon actuel, un environnement qui souffle alternativement le chaud et le froid dans la vie de Ki-itchi. Bruits urbains omniprésents ; bavardages des mères, égoistes ou superficiels ; jalousie et faiblesse que côtoient aussi compréhension et abnégation. Un univers aux atours étrangement familiers ...

***Ki-itchi !!* de Hideki Arai**

1 volume paru, tome 2 à paraître ; 224 pages n&b

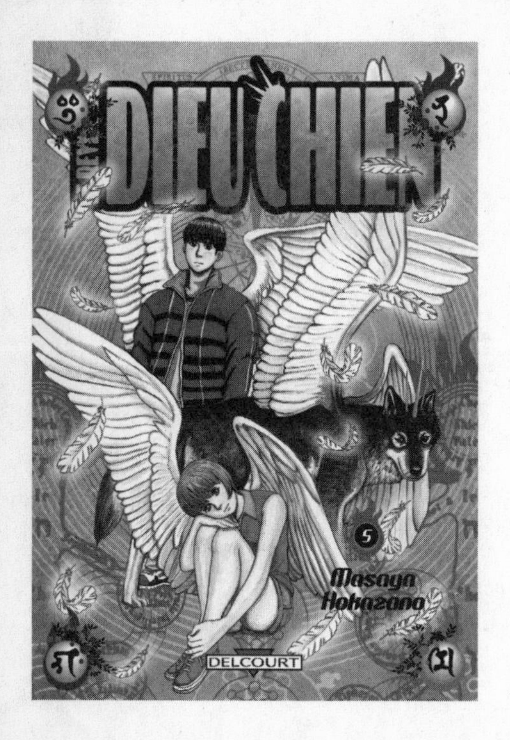

Fumiki est un lycéen rêveur. Au fond d'une usine abandonnée, il s'adonne à sa passion : la poésie. Sa rencontre avec un chien, le chiffre "23" tatoué sur l'oreille, va bouleverser sa vie. Magie noire, secte, corruption de la science, des pouvoirs politiques et militaires... L'Apocalypse a commencé. Émissaire guerrier des forces divines, le Dieu Chien vient pour purifier la planète de sa maladie la plus redoutable, l'homme. Quels vont être les rôles de Fumiki et de 23 ?

***Le Réveil du Dieu Chien* de Masaya Hokazono**

5 volumes parus, tome 6 à paraître ; 224 pages n&b

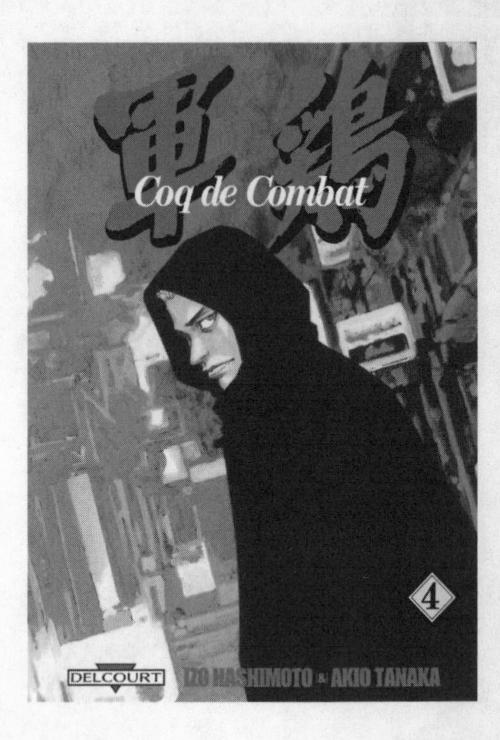

Coq de Combat
4
DELCOURT
IZO HASHIMOTO & AKIO TANAKA

Ryô Narushima a toujours vécu dans le confort. Il a seize ans. Il a tué ses parents... Placé en maison de corrections, il est victime des brimades les plus ignobles. Lui capable du pire, le voilà affaibli, psychologiquement et physiquement. Une ultime entrevue avec sa jeune sœur et les leçons d'un professeur de karaté vont le transformer. La découverte de l'esprit du combat va donner un sens à sa vie...
À l'emprisonnement de nos sociétés sécuritaires, les auteurs opposent la rééducation par la pratique codifiée du dépassement de soi.

***Coq de Combat* d'Izo Hashimoto & Akio Tanaka**

4 volumes parus, tome 5 à paraître ; 224 à 256 pages n&b

À l'époque des samouraïs, Tobé était un assassin sans pitié, condamné à mort à l'âge de seize ans. Depuis, il erre en enfer, mais ce séjour n'a nullement émoussé son agressivité. Un jour, le seigneur-démon Émma lui propose un marché : il obtiendra le salut de son âme à condition d'éliminer 108 fautes ou crimes, en 108 jours. Précipité dans notre époque, il dispose de Togari pour accomplir sa tâche, une épée qui a le pouvoir d'exorciser la haine enfouie dans le cœur des hommes. En sera-t-il de même pour Tobé ?

***Togari, l'épée de justice* de Yoshinori Natsume**

6 volumes parus, tome 7 à paraître ; 192 pages n&b

ÉDITIONS DELCOURT
2
PERSONA
CRIME ET CHÂTIMENT
NAOTSUGU MATSUEDA

Dans une ville japonaise de province, un lycéen, Kazumi Kiba, découvre un étrange pouvoir enfoui au plus profond de lui, sa "persona". L'éveil de sa persona signe pour lui le début d'une nouvelle vie, car d'apparence paisible, la ville se révèle peuplée de démons... Ceux qui peuvent les voir sont implacablement pourchassés et privés de leur alter-ego psychique. Emporté malgré lui dans une guerre qui le dépasse, Kiba devra prendre sa vie en main et faire des choix douloureux...

***Persona* de Naotsugu Matsueda**

2 volumes parus, tome 3 à paraître ; 224 pages n&b

Nana évoque la jeunesse japonaise à travers la vie de deux jeunes filles. L'une, étudiante rêveuse et tête en l'air, est à la recherche du prince charmant. L'autre, plus déterminée et solitaire, est devenue chanteuse d'un groupe de rock amateur grâce à son premier amour. Ces personnages attachants, influencés par les dernières modes tokyoïtes, font de ce shôjo manga une œuvre qui ravira les jeunes filles que les garçons rêvent de séduire… et de comprendre.

Nana de Ai Yazawa

5 volumes parus, tome 6 à paraître ; 192 pages n&b

Orpheline, Tohru est une lycéenne qui vit dans les bois. Très douée pour les tâches ménagères, elle est recueillie par la famille d'un de ses camarades de classe. Mais elle découvre que chacun de ses bienfaiteurs, victime d'une malédiction, peut se transformer en l'un des douze animaux du zodiaque chinois ! Entourée de personnages aussi étranges, Tohru découvre que la vie lui a réservé de nombreuses surprises...
Fruits Basket est un manga sur la tolérance et l'amitié.

Fruits Basket de Natsuki Takaya

6 volumes parus, tome 7 à paraître ; 192 à 224 pages n&b

MAGIE INTÉRIEURE !

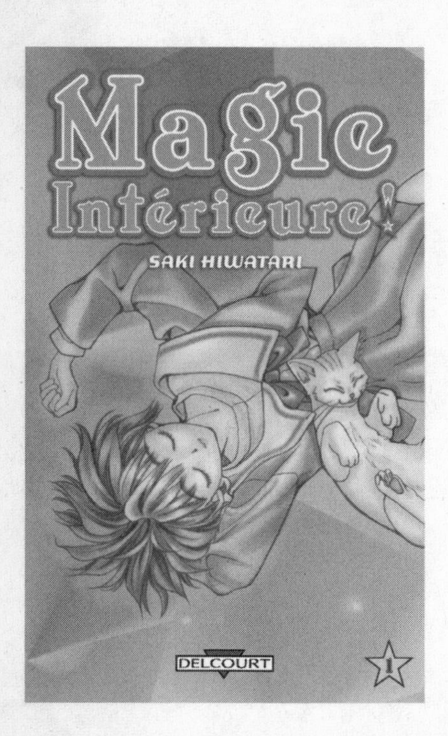

Haruko a perdu sa mère lorsqu'elle avait huit ans. Avant de mourir, sa maman lui a transmis son nom de sorcière, Cynthia, ainsi qu'un chat messager des dieux, Silk. À présent, Haruko fréquente le collège, et trouve un jour dans son casier une lettre anonyme qui lui demande de lancer une chasse aux sorcières. Les lettres se multiplient, se font plus agressives, bouleversant Haruko. Même les professeurs l'y incitent ! Aidée de Chika, Akane et Kinosaki-sempai, elle se met en quête du coupable...

***Magie intérieure !* de Saki Hiwatari**

1 volume paru, tome 2 à paraître ; 224 pages n&b

Cosmo na bokura !- by Saki Hiwatari

First published in Japan in 2000 by Hakusensha Inc., Tokyo
French language translation rights in France arranged by Hakusensha Inc.,
Tokyo through Tohan Corporation, Tokyo
Supervision éditoriale : Akata

Dépôt légal : août 2003. I.S.B.N. : 2-84789-030-0

Traduction : Yuko Kuramatsu
Adaptation : Sara Centonze
Lettrage : Betty C.
Conception graphique : Trait pour Trait

Imprimé et relié en juillet 2003
sur les presses de l'imprimerie Aubin, à Ligugé.

www.akata.fr
www.editions-delcourt.fr